中國文史經典講堂

孫子兵法評注

中國文史經典講堂

孫子兵法評注

中國社會科學院文學研究所
主編 楊義　副主編 劉躍進
評述・注釋 馬銀琴

責任編輯　楊　帆
裝幀設計　鍾文君

書　　名　中國文史經典講堂・孫子兵法評注
編選單位　中國社會科學院文學研究所
主　　編　楊　義
副 主 編　劉躍進
評述·注釋　馬銀琴
出　　版　三聯書店（香港）有限公司
香港鰂魚涌英皇道 1065 號 1304 室
JOINT PUBLISHING (H.K.) CO., LTD.
Rm. 1304, 1065 King's Road, Quarry Bay, Hong Kong
發　　行　香港聯合書刊物流有限公司
香港新界大埔汀麗路 36 號 3 字樓
SUP PUBLISHING LOGISTICS (HK) LTD.
3/F, 36 Ting Lai Road, Tai Po, N.T., Hong Kong
印　　刷　深圳中華商務安全印務股份有限公司
深圳市龍崗區平湖鎮萬福工業區
版　　次　2006 年 4 月香港第一版第一次印刷
規　　格　大 32 開（140 × 210mm）176 面
國際書號　ISBN-13: 978 · 962 · 04 · 2550 · 9
ISBN-10: 962 · 04 · 2550 · 2

Published in Hong Kong

主編的話

中國正在經歷着巨大的變革，已經成為全世界矚目的焦點；中華民族創造的輝煌文化也日益顯現出它的奪目光彩。華夏五千年文明，就是我們民族生生不已的活水源頭，就是我們民族卓然獨立的自下而上之根。

“問渠哪得清如許，為有源頭活水來。”

為探尋這活水源頭，為培植這生存之根，中國社會科學院文學研究所成立五十多年來，一直把文化普及工作放在相當重要的位置，並為此做了大量的、卓有成效的工作。早在二十世紀五六十年代，文學研究所就集中智慧，着手編纂《文學概論》、《中國少數民族文學史》、《中國文學史》、《中國現代文學史》等通論性的論著。與此同時，像余冠英先生的《樂府詩選》（1953年出版）、《三曹詩選》（1956年出版）、《漢魏六朝詩選》（1958年出版），王伯祥先生的《史記選》（1957年出版），錢鍾書先生的《宋詩選注》（1958年出版），俞平伯先生的《唐宋詞選釋》（初名《唐宋詞選》，1962年內部印行，1978年正式出版），以及在他們主持下編選的《唐詩選》等大專家編寫的文學讀本也先後問世，印行數十萬冊，在社會上產生了廣泛而又深遠的影響。進入新的時期，文學研究所秉承傳統，又陸續編選了《古今文學名篇》、《唐宋名篇》、《台灣愛國詩鑒》等，並在修訂《不怕鬼的故事》的基礎上新編《不信神的故事》等，贏得了各個方面的讚譽。

擺在讀者面前的這套“中國文史經典講堂”依然是這項工

作的延續。其編選者有年逾古稀的著名學者，也有風華正茂的年輕博士，更多的是中青年科研骨幹。我們希望通過這樣一項有意義的文化普及工作，在傳播優秀的傳統文學知識的同時，能夠讓廣大讀者從中體味到我們這個民族美好心靈的底蘊。我們誠摯地期待着廣大讀者的批評指正。

目　錄

前　言

《孫子兵法》，也簡稱《孫子》，是中國古代最著名的兵書。據《史記・孫子吳起列傳》載，歷史上曾有兩位“孫子”，一位是春秋末期客居吳國、以十三篇見知於吳王闔閭的齊人孫武，又稱“吳孫子”；另一位則是孫武的後世孫、為齊威王師的孫臏，又稱“齊孫子”。這兩位“孫子”都有兵法傳世，這就是人們常說的《孫子兵法》與《孫臏兵法》，《漢書・藝文志・兵書略》分別題為“《吳孫子兵法》八十二篇”、“《齊孫子》八十九篇”。東漢末年，兵書大批散佚，《齊孫子》為其中之一。此後便不再見有著錄《齊孫子》的，唐初杜佑《通典》曾引孫臏論“用騎有十利”，不知所據。《齊孫子》的長期失傳，加之今本《孫子》頗有一些富於戰國時代色彩的語辭與思想，因此，從宋代開始，學者們對《史記》記載的《吳孫子兵法》的作者孫武其人的歷史真實性開始產生了懷疑。近代以來，把孫武和孫臏合為一人的說法也曾經流行一時。1972年4月，山東臨沂銀雀山一號漢墓同時出土了兩種《孫子兵法》。第一種簡文包含與今本《孫子》十三篇基本相同的內容和一些佚篇，另一種根據內容，可判斷應是見於《漢書・藝文志》，之後久已失傳的先秦古書《齊孫子》。分別見於兩種簡文的“吳王問孫子曰”、“齊威王問用兵孫子曰”等內容，與《史記》對孫武與孫臏的記載相合。這兩種兵書的同時出土，一方面化解了孫武與孫臏同為一人的懷疑之說，另一方面也為《史記》有關孫武記載的真實性提供了證據，也就是說，孫武其人的存在是不能被輕易否定的。以此為基礎，對《孫子兵法》成書時代問題的討論也有了新的進展。李零先生在發表於《文史》第七輯的《關於銀雀山簡本〈孫子〉研究的商榷——〈孫子〉著作時代和作者重議》一文提出的看法頗可採用："《孫子》的成書過程可能正與簡本《齊孫子》所說'明之吳越，言之於齊'相合，大約是從春秋末期的吳國開始，到戰國時期的齊國，經過長期整理最後完成。"他否定了近年流行的《孫子》由春秋末期孫武親著的說法，認為其成書的時代應在戰國中期。這是一種比較公允、合理的說法，符合先秦古籍成書的一般規律。

根據《史記》的記載，參照銀雀山漢簡篇題木牘的書寫方式以及十三篇與佚篇共存的情況來看，今本《孫子兵法》十三篇，在漢初就已經作為獨立的內容編定成冊，並與一些雜篇內容同時流傳。《漢書·藝文志·兵書略》所載《吳孫子兵法》八十二篇，則應是合併二者而成的。自曹操單注十三篇之後，雜篇逐漸散亡。由銀雀山出土的《孫子兵法》佚文內容來看，佚文很可能是孫子後學對《孫子》十三篇的解讀與引申。如"黃帝伐赤帝"一段，是對《行軍篇》"黃帝之所以勝四帝也"的具體描述；"四變"一篇，則是對《九變篇》中"途有所不由，軍有所不擊，城有所不攻，地有所不爭，君令有所不行"的詳細解釋。與儒家經典有經解、傳記等相類，這些內容應是戰國秦漢之際孫子後學研究《孫子兵法》的成果。《漢書·藝文志》載任宏校書時曾把兵書分為"權謀"、"形勢"、"陰陽"、"技巧"四種，《吳孫子兵法》被歸入"權謀"一類，"權謀者，以正守國，以奇用兵，先計而後戰，兼形勢，包陰陽，用技巧者也"。所謂"兼形勢，包陰陽，用技巧"，正是佚篇表現出來的特點，與十三篇之重"權謀"有所區別。

現存最早的《孫子》注本，是曹操的《孫子注》，曹注至今有單本流傳。曹操之後，從南北朝到宋，比較著名的注家，有梁孟氏，吳沈友，隋張子尚、蕭吉，唐李筌、杜牧、陳皞、賈林，以及宋代的梅堯臣、王晳、何延錫、張預等。除沈友、張子尚、蕭吉三家注亡佚外，其餘十家注連同杜佑注《通典》的相關文字，都被輯錄於《十一家注孫子》中保存下來。宋元以後比較著名的注本，有明劉寅的《武經七書直解》與趙本學的《孫子書校解引類》等，當代則有郭化若的《孫子譯注》、吳九龍主編的《孫子校釋》、李零的《孫子兵法譯注》、朱軍的《孫子兵法釋義》等。

研究和注釋《孫子》的工作，與版本校勘有着密不可分的關係。銀雀山漢墓簡本《孫子》(簡稱"漢簡本")的發現，將《孫子兵法》的研究工作推入了一個全新的階段，其文本價值不言而喻。除漢簡本之外，傳世的《孫子》文本中最有價值的是三種宋代的本子：一是宋本《十一家注孫子》(簡稱"十一家注本")，刊刻時間當在南宋孝宗年間；一是《平津館叢書》影宋本《孫吳司馬法》中的《魏武帝注孫子》(簡稱"曹注本")，其刊刻時間亦當在南宋孝宗年間；一是《續古逸叢書》所收宋本《武經七書》中的《孫子》(簡稱"武經本")，刊刻時間當在南宋孝宗至光宗年間。三種宋本中，《魏武帝注孫子》的正文文字與《武經七書》的《孫子》幾乎全同，據學者們研究，它應是從帶曹注的《武經七書》元豐初刻本中抽取出來的一種刻本，屬於《武經七書》系統中最早的本子，而《續古逸叢書》所收《武經七書》的《孫子》所代表的版本類型，即來源於元豐初刻本，因此，後二者實際上屬同一版本系統，且曹注本的版本價值更優於武經本。後世出現的各種版本，包括在近現代影響很大的孫星衍校《孫子十家注》，基本上都是從這三種本子的基礎上派生出來的，從校勘學的角度講，價值不是很大。除了漢簡本和傳世的三種宋本之外，對於校勘《孫子》有重要價值的，還有漢魏時代的各類古書以及《通典》、《北堂書鈔》、《長短經》、《太平御覽》等類書中出現的《孫子》引文。本書的注釋以宋本《十一家注孫子》為底本，工作過程中所涉及的校勘工作，即按照上述原則展開。

《孫子兵法》作為古代最著名的軍事學著作，不僅對中國的軍事發展史產生了深遠的影響，從公元八世紀外傳日本開始，它的世界影響也越來越大。現在，它已經被翻譯成日、英、法、德、俄等二十多種語言文本，受到了普遍的推崇。在2002年5月於湖南岳麓書院召開的第四屆“中華文明的二十一世紀新意義”研討會上，美國學者林中明先生在《舊經典，活智慧——從〈易經〉、〈詩經〉、〈孫子〉、〈史記〉、〈文心〉看企管教育和科技創新》一文中，針對《孫子兵法》曾經說過這樣的話：“如果要問中華文化中，有哪一門‘國學’是‘國際顯學’，答案只有一個:《孫子兵法》。”“在這一個迅速變化和無時無地不在競爭的‘全球化’世紀，要講企業經營和策略，就不能不用到《孫子》首尾呼應而道理精深的戰略原則。”“《孫子兵法》可以直接應用的範圍，就幾乎包括了人類所有的‘智術’活動，甚至文藝創作，也不例外。”“如果世界的走向是加強學習《孫子》，我們能落後嗎？”這些論述，毫不誇張地描述了《孫子兵法》的現代意義。當《孫子兵法》不但被作為軍事學院的課本，而且成為美國商學院的主要參考書時，這部對中國古代戰爭經驗進行理論總結的軍事學著作，在當代社會發生的影響，早已超出了軍事學的範疇。

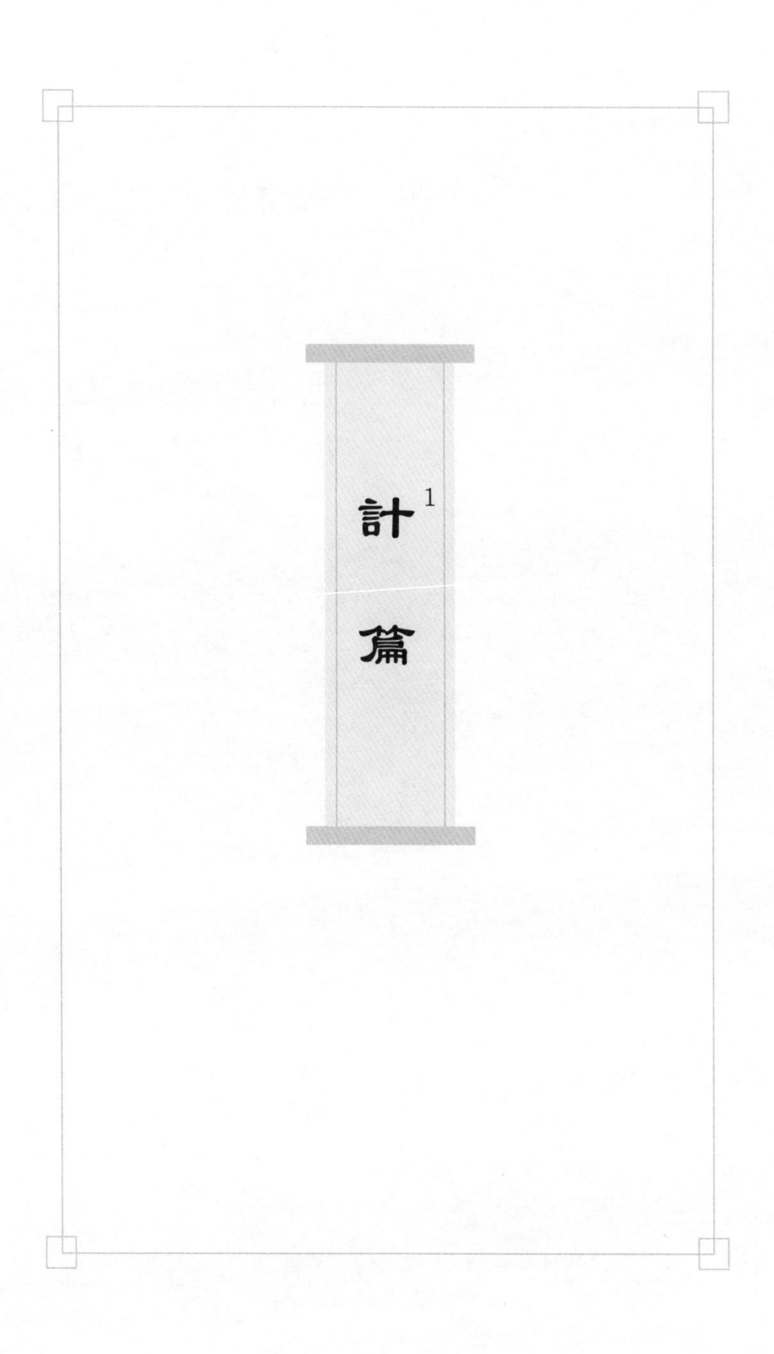

計篇[1]

孫子曰：兵[2]者，國之大事，死生之地，存亡之道，不可不察[3]也。故經[4]之以五[5]，校[6]之以計[7]，而索[8]其情[9]，一曰道[10]，二曰天，三曰地，四曰將，五曰法[11]。道者，令民與上同意也。故可與之死，可與之生，民不危[12]也。天者，陰陽[13]、寒暑、時制也。地者，遠近、險易、廣狹、死生[14]也。將者，智、信、仁、勇、嚴[15]也。法者，曲制[16]、官道[17]、主用[18]也。凡此五者，將[19]莫不聞，知之者勝，不知者不勝。故校之以計而索其情，曰：主[20]孰有道？將孰有能？天地孰得[21]？法令孰行？兵眾孰強？士卒孰練[22]？賞罰孰明？吾以此知勝負矣。

注釋

1. 計：本義指計算，這裡指興師之前的謀劃與安排，即後文所說的"廟筭"。
2. 兵：原指兵器，這裡指軍事、戰爭。
3. 察：考察，研究。
4. 經：經營，度量。
5. 五：指下文所說的道、天、地、將、法這五個方面。
6. 校：通"較"，指較量、比較。

7. 計：指下文“主孰有道”、“將孰有能”等“七計”。

8. 索：求取。

9. 情：戰爭勝負的實際情況。

10. 道：政道，道德。

11. 法：法規。這裡指軍法。

12. 不危：不危疑，不惑亂。

13. 陰陽：古代的方技數術之學，包括天文、曆法、五行、占卜等複雜內容。古代兵家有專講陰陽之術的，稱兵陰陽家。

14. 死生：死，死地，絕境；生，生地，安全之地。

15. 嚴：威嚴。

16. 曲制：軍隊的部署與編制。《管子》稱為“曲政”，《侈靡》云：“將合可以禺其隨行以為兵，分其多少以為曲政。”

17. 官道：官員將帥的職權劃分、管理制度。

18. 主用：管理、供給軍費資財的制度。

19. 將：將帥。

20. 主：國君。

21. 天地孰得：指誰能得天時地利。

22. 練：習武練兵。

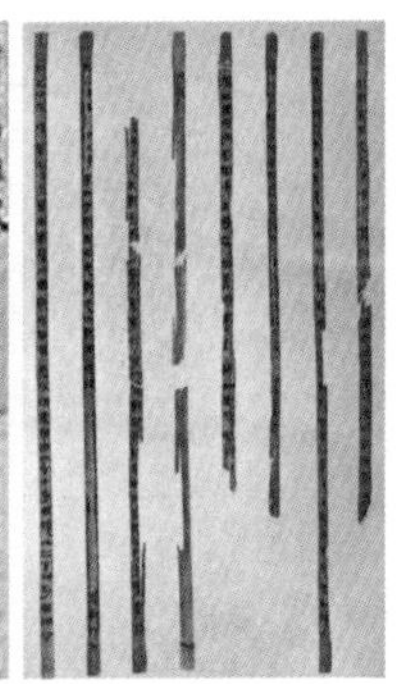

（左圖）孫子像

（右圖）銀雀山漢墓竹簡《孫子兵法》

將聽吾計，用之必勝，留之；將不聽吾計，用之必敗，去之。計利以聽[23]，乃為之勢[24]，以佐其外[25]；勢者，因利而制權[26]也。

注釋

23. 計利以聽：以，通“已”，已經；聽，被聽從，被採納。謀劃有利的策略已經被採納，即計謀已定。
24. 勢：態勢。
25. 外：這裡指幫助計謀實現的外部條件。
26. 制權：權，權變，靈活。制權，指把握時機，靈活處事。

兵者，詭道[27]也。故能而示之不能，用而示之不用，近而示之遠，遠而示之近；利而誘之[28]，亂而取之，實而備之[29]，強而避之，怒而撓之[30]，卑而驕之[31]，佚而勞之[32]，親而離之[33]，攻其無備，出其不意，此兵家之勝[34]，不可先傳[35]也。

注釋

27. 詭道：詭詐的方式。所謂兵無常形，以詭詐為道，也就是人們常說的“兵不厭詐”。

28. 利而誘之：利，貪利。敵人貪利，就用利益來引誘他。

29. 實而備之：實，有實力；備，戒備。敵人有實力，則加強戒備。

30. 怒而撓之：怒，士氣旺盛；撓，通"橈"，屈曲。敵人士氣旺盛，則取迂迴之策，以待其氣衰。

31. 卑而驕之：卑，小，這裡指謹慎小心。敵人謹慎小心，則想法讓其驕傲。

32. 佚而勞之：佚，安閑，這裡指軍隊休整。敵人休整隊伍，就想法使之勞困。

33. 親而離之：親，和睦團結；離，離間。敵人和睦團結，則使離間之計。

34. 兵家之勝：軍事家克敵制勝的關鍵。

35. 先傳：事先規定或說明。

夫未戰而廟筭[36]，勝者，得筭[37]多也；未戰而廟筭，不勝者，得筭少也；多筭勝，少筭不勝，而況於無筭乎？吾以此觀之，勝負見矣。

注釋

36. 廟筭：廟，古代祭祀和供奉祖先神靈的處所；筭，古人用來計算的籌碼，多用竹子製成，這裡指用筭籌來計算多寡、優劣以決定行動。古人凡是興師命將，都要在宗廟行祭祀之禮，再利用筭籌等工具來計算行動的可行性，制定相應的計劃，然後再派兵遣將，後來便把戰前對戰事的籌劃稱為“廟筭”。

37. 得筭：成功的計謀。

串講

孫子說：戰爭是國家的大事，它關係到人民的生死，國家的存亡，不能不認真地研究。

因此，要通過對五個方面的分析、七種因素的比較，來探索導致戰爭勝負的實際情況。這五個方面就是：政道、天時、地利、將領、軍法。政道，就是讓民眾與君主一條心，可以和君主同生共死而不存二心。天時，就是陰陽向背、寒暑變化及四時節候。地利，就是指地理位置的遠近、地形的險易、廣狹及死地還是生地。將領，就是智謀、誠信、仁慈、勇敢、威嚴。軍法，就是軍隊的部署與編制、將帥官員的職權劃分與管理、軍費資財的管理與供給。這五個方面，統兵打仗的人沒有沒聽說的，了解這些情況的就能打勝仗，不了解這些情況就不能打勝仗。所以要比較以下七個方面的因素，來研究戰爭勝負的情況。這就是：哪一方的國君政治清明？哪一方的將領更有才能？哪一方更得天時地利？哪一方的法令能夠貫徹執行？哪一方的軍隊力量更強？哪一方的士卒訓練有素？哪一方的賞罰更公正嚴明？我們根據這些情況就可以判斷戰爭的勝負了。

將領聽我的計謀，任用他一定能夠獲勝，就任用他；將領不服從我的指揮，任用他一定會失敗，就免去他。

計謀已定，就要給它創造有利的態勢，用以幫助計謀順利實現。所謂“勢”，就是抓住有利的條件靈活處事，把握機會。

行軍打仗靠的就是詭詐，所以能做時要裝作不能做，用兵時要裝作不用兵，在附近時要假裝在遠處，在遠處時則假裝在附近；敵人貪利就用利益引誘他，敵營混亂就乘機奪取它，敵人有實力就加強戒備，敵人強大就避開他，敵人士氣旺盛就迂迴擾亂他，敵人謹慎小心就要使之驕傲，敵人休整隊伍就要使之勞困，敵人內部團結就離間他。攻擊敵人沒有防備的地方，在其意想不到的地方採取行動，這是軍事家指揮打仗取勝的訣竅，是不可以事先規定和說明的。

開戰之前做好了安排，取得勝利的，是因為籌劃周密，計謀實現得多；開戰之前做好了安排，沒有取勝的，是因為籌劃不周，計謀實現得少。籌劃周密就取勝，籌劃不周就不能取勝，更何況不籌劃呢？我們根據這些情況來分析，勝負就是顯而易見的了。

評析

本篇着重討論了戰爭的重要性、決定戰爭勝負的條件、將帥在戰爭中的作用以及戰前決策的關鍵作用等。

首先，孫子開宗明義地提出了"重戰"、"慎戰"的思想："兵者，國之大事，死生之地，存亡之道，不可不察也。""國之大事，在祀與戎"。自周王室確立其統治地位以來，以祭祀禮為代表的周代禮樂制度——"祀"一直處於統治思想的核心位置，"戎"（即戰爭）則是維持周禮秩序的有效手段。但是隨着周王室統治力量的式微，兵戎之事逐漸取代了"祀"的核心地位，成為諸侯關係的主要形態。孫子生活的春秋末年，正是周代禮樂制度全面崩潰，諸侯之間的兼併戰爭呈現出愈演愈烈之勢，歷史的車輪即將轉入混亂的戰國時代的歷史時期。在這樣的歷史環境下，孫子繼承“重戰”的思想，又從“死生之地，存亡之道”的高度表達“慎戰”的思想，無疑具有重要的意義。

戰爭關係到國家的生死存亡，因此，如何籌劃戰爭也就成為至關重要的頭等大事。在這裡，孫子提出了“經之以五，校之以計，而索其情”的戰前謀略。“五事”即指包含了決定戰爭勝負的諸多條件，孫子將它們概括為“道、天、地、將、法”五個方面，而“七情”則是對“五事”的具體化與細緻化，是其在實踐中的應用方法。“五事”、“七情”實質提出了一個應在戰前對交戰雙方軍事實力進行全面衡量的戰略思想。引人注意的是，在這裡，孫子明確把“道”——“令民與上同意也”作為“五事”之首提出。把傳統的“德政”思想轉變為軍事理論的重要內容，這是孫子的貢獻之一，也成為後世優秀軍事家信奉的準則之一。在現代商業社會全面競爭的環境下，孫子的軍事思想大多都被轉化為企業管理和決策的指導思想，有人把“令民與上同意”作為企業管理人員的責任提出，就是其中之一。

戰前的計較與謀劃固為重要，如何在依計而行的前提下發揮將領的主動性，即所謂的“因利而制權”，是本篇論述的又一個重點。如果說對“五事”、“七情”的計較是一種靜態的實力對比，那麼“因利而制權”則是就將帥在戰爭動態的發展過程中如何靈活機動地指揮軍隊所提出的意見。孫子對戰爭的特點有着相當深刻的認識：“兵者，詭道也”，“兵家之勝，不可先傳”。針對這些特點，他提出了一個名垂千古的克敵制勝的作戰思想：“攻其無備，出其不意。”歷史上聲名顯赫的著名戰役，絕大部分都是在實踐這一著名軍事思想的前提下成就的。

在本篇之末，孫子還對“未戰而廟筭”，即戰前謀劃對於戰爭能否取得勝利的意義進行了明確的論說，提出了“多筭勝，少筭不勝，而況於無筭乎”的觀點。《韓非子·五蠹》曾依據社會特點把先秦時代劃分為三個時期：“上古競於道德，中世逐於智謀，當今爭於氣力。”孫子以“計”當先，重視“廟筭”的思想鮮明地體現了“逐於智謀”的時代特點。

名家論析

曹操：計者，選將、量敵、度地、料卒、遠近、險易，計於廟堂也。

杜牧：計，算也。曰：計算何事？曰：下之五事，所謂道、天、地、將、法也。於廟堂之上，先以彼我之五事計算優劣，然後定勝負；勝負既定，然後興師動眾。用兵之道，莫先此五事，故著為篇首耳。

李筌：計者，兵之上也。太乙遁甲，先以計神加德官，以斷主客成敗。

作戰篇

孫子曰：凡用兵之法，馳車千駟[1]，革車[2]千乘，帶甲[3]十萬，千里饋糧[4]，則內外[5]之費，賓客[6]之用，膠漆之材[7]，車甲之奉[8]，日費千金，然後十萬之師舉矣。

注釋

1. 馳車千駟：馳車，古代的一種輕型戰車；駟，四馬合駕一車稱一駟。指四馬合駕的輕型戰車一千輛。
2. 革車：兵車。這裡與“馳車”對稱，應指重型兵車。
3. 帶甲：甲，指鎧甲。穿着鎧甲的士兵，這裡泛指軍隊。
4. 饋糧：運送糧草。
5. 內外：指國內國外。
6. 賓客：諸侯國的使節與游士。
7. 膠漆之材：《考工記・匠人》有“六材”，其中膠、漆各佔其一。這裡泛指製造戰車、弓矢等軍用器械的各種材料。
8. 奉：供養，補給。

其用戰也，勝久[9]則鈍兵挫銳[10]，攻城則力屈[11]，久暴師[12]則國用不足。夫鈍兵挫銳，屈力殫貨，則諸侯乘其弊而起，雖有智者，不能善其後矣！故兵聞拙速，未睹巧之久也。夫兵久而國利者，未之有也。

注釋

9. 勝久：求勝以久，即靠持久來取勝。

10. 鈍兵挫銳：消耗兵力，挫傷士氣。

11. 力屈：屈，竭盡。力量竭盡。

12. 暴師：軍隊出征在外。

故不盡知用兵之害者，則不能盡知用兵之利也。善用兵者，役不再籍[13]，糧不三載[14]；取用於國[15]，因糧於敵[16]，故軍食可足也。國之貧於師者遠輸[17]，遠輸則百姓貧。近於師者貴賣[18]，貴賣則百姓財竭，財竭則急於丘役[19]。屈力中原[20]，內虛於家。百姓之費，十去其七。公家之費，破車罷馬，甲胄矢弩[21]，戟楯矛櫓[22]，丘牛大車[23]，十去其六。故智將務食於敵[24]，食敵一鍾[25]，當吾二十鍾，萁秆一石[26]，當吾二十石。

注釋

13. 役不再籍：役，兵役；籍，名冊，戶籍冊。指不會按名冊再次徵發兵役。

14. 糧不三載：三，虛數，表示多次；載，運載。指不多次運輸糧草。

15. 取用於國：用，武器用具。武器用具從國內取用。

16. 因糧於敵：因，依靠，憑藉。從敵國徵取糧草。

17. 國之貧於師者遠輸：遠輸，長途運輸軍械糧草。指國家由於出師而陷於貧困是因為遠途運輸。

18. 貴賣：物價上漲。

19. 丘役：丘，古代規劃田地、政區的一種單位，根據《周禮》，九夫為一井，四井為一邑，四邑為一丘，四丘為一甸，四甸為一縣。丘役，指賦役，賦稅。

20. 屈力中原：中原，原野之中。耗盡人力於原野之中。

21. 矢弩：弩，弩弓，一種依靠機械力量發箭的弓。

22. 戟楯矛櫓： 戟、楯、矛、櫓為攻防武器。

23. 丘牛大車：丘牛，丘所出之牛；大車，牛車的別稱。

24. 務食於敵：務，務求；食，取食。務求取食於敵國。

25. 鍾：古代的一種容量單位。春秋時代齊國的"鍾"有兩種，一種是公室的公量，一鍾合六斛四斗，即六百四十升；一種是齊國陳氏的"家量"，一鍾合十斛，即一千升。

26. 萁稈一石：萁，同"萁"，豆秸；稈，同"秆"，禾秆；石，古代的計量單位，計容量時，十斗為一石，計重量時，一百二十斤為一石，這裡是重量單位。

故殺敵者，怒[27]也，取敵之利者，貨也。故車戰，得車十乘已上，賞其先得者，而更其旌旗[28]。車雜而乘之[29]，卒善而養之[30]，是謂勝敵而益強。故兵貴勝，不貴久。故知兵之將，民之司命[31]，國家安危之主也。

注釋

27. 怒：激勵士氣。
28. 更其旌旗：為繳獲的戰車更換己方的旗幟。
29. 車雜而乘之：雜，混雜。將繳獲的戰車混雜編入己方車隊使用。
30. 卒善而養之：善，與“養”義同。指要善待、養活俘獲的士卒。
31. 司命：古代的星名，又指掌握生命的神，這裡指掌握百姓命運的人。

串講

孫子說：用兵作戰的一般規律是，需要輕型戰車一千輛，重型兵車一千輛，軍隊十萬人，要往千里之外運送糧草。前方後方的各種費用，包括接待使節遊士、置辦弓矢器械以及供給車馬鎧甲的各種開支，每天耗費千金之巨資。做好了這些準備之後，十萬大軍才能出發。

用兵作戰，如果要靠持久取勝就會使軍隊疲憊、士氣低迷，如果攻城就會耗盡兵力，長期征戰就會使國家的財政緊張。如果軍隊疲憊、士氣低迷，兵力耗盡，財貨殫竭，那麼諸侯列強就會乘其疲頓之機興兵來攻，到那時，即使再足智多謀的人，也是不能保全他的後代子孫了。所以聽說過指揮粗劣但求速勝的，沒有見過指揮精妙卻能曠日持久的。能夠長期征戰而對國家有利的情況，從來沒有發生過。

因此，不完全知曉用兵打仗的害處的人，就不能完全了解到用兵打仗的好處。善於用兵的人，不會按名冊再次徵發兵役，也不會多次運輸糧草；武器用具從國內運送，糧草則從敵國徵取，所以軍隊的糧食供給就充足了。國家因為出師而陷於貧困的原因，是由於遠途運輸，遠途運輸會使百姓貧困。靠近軍隊的地方物價就高，物價高就會讓百姓財貨枯竭，財貨枯竭就會交不起賦稅。人力耗盡於原野之中，國內資財耗盡，家室空虛。百姓的財產，消耗了十分之七，官府的經費，也會由於戰車的損壞、戰馬的疲敝以及盔甲、弩箭、戟、楯、矛、櫓、丘牛大車而消耗了十分之六。所以聰明的將領務求取食於敵國，從敵國取食一鍾，就相當於從國內運輸的二十鍾，豆秸、禾秆一石，相當於我們自己的二十石。

清・千里運兵糧圖

所以，要使軍隊英勇殺敵，就要激勵士氣；要奪取敵人的資財，就要賞賜士卒。所以在車戰中，繳獲戰車十乘以上的，要獎賞最先奪得戰車的人，並且更換戰車的旗幟，把戰車混雜編入自己的戰車隊伍中，對於俘獲的士卒，要善待他們，養活他們，這就是所謂的戰勝敵人而自己更加強大。

所以用兵貴在速決，不宜持久。懂得用兵之法的將領，是掌握百姓命運及國家安危的主宰。

評析

這是一篇以戰爭對人力、物力、財力等經濟條件的依賴關係為論述中心的文字。孫子首先論述了戰爭所需的財力支持，“日費千金，然後十萬之師舉”。正是由於耗資巨大，持久作戰必然造成“國用不足”的後果，若諸侯之國乘其弊而起，則無人能“善其後矣”。在充分論述了戰爭的勞民傷財及其可能造成的嚴重後果的基礎上，孫子順理成章地得出了“兵聞拙速，未睹巧之久也”的結論，並進而明確地提出了“兵久而國利者，未之有也”、“兵貴勝，不貴久”的速戰速勝的戰爭觀。

孫子充分地論述“兵之害”，其目的並非完全反對用兵，而是“不盡知用兵之害者，則不能盡知用兵之利”。孫子認為，戰爭之所以會讓國家陷於貧困，其根本原因在於“遠輸”。因此，為了減輕國家對戰爭的負擔，減輕百姓長途運輸軍糧之苦，他提出了“因糧於敵”、“務食於敵”的主張，“食敵一鍾，當吾二十鍾，萁稈一石，當吾二十石”。“因糧於敵”是孫子軍事思想的一個重要內容，反覆出現於《九地篇》的“重地則掠”、“重地吾將繼其食”以及“掠於饒野，三軍足食”等，都是對“因糧於敵”這一思想的強調與重申。

“因糧於敵”是減輕戰爭負擔、將“用兵之害”減少到最低程度的重要方法，而“勝敵而益強”則是“用兵之利”的顯著

《平津館叢書》引《魏武帝注孫子》

表現。在如何獲取“用兵之利”的問題上，孫子提出了激勵士氣、論功行賞、整編敵軍、善待俘虜等措施。這些思想及措施，在兩千多年後的今天仍具有現實的積極意義。

儘管“兵貴勝，不貴久”、“因糧於敵”以及“卒善而養之”的優俘思想符合戰爭的一般規律，但是，孫子畢竟是一位兩千多年前的軍事家，作為對發生在諸侯國之間爭霸與兼併戰爭的經驗總結，孫子的思想表現了相當明顯的時代特點，因而也必然包含着相應的歷史局限性，如對速勝戰的強調與對持久戰的片面否定等。這是我們在此應該指出來的。

名家論析

曹操：欲戰必先算其費，務因糧於敵也。

李筌：先定計，然後修戰具，是以戰次計之篇也。

王皙：計以知勝，然後興戰而具軍費，猶不可以久矣。

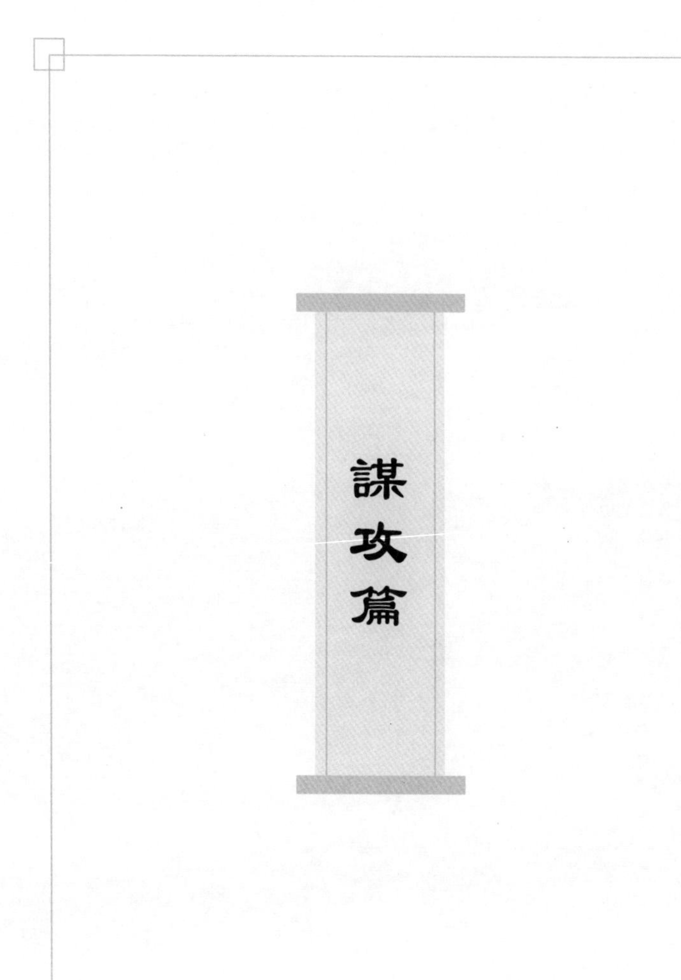

謀攻篇

孫子曰：凡用兵之法，全國[1]為上，破國次之；全軍[2]為上，破軍次之；全旅[3]為上，破旅次之；全卒[4]為上，破卒次之；全伍為上，破伍次之。

注釋

1. 全國：國，國都，城市。保全敵人的城邑，使之完全降服。
2. 軍：一般泛指軍隊，這裡指軍隊的一種編制。根據《周禮》鄭玄注，一萬二千五百人為軍。
3. 旅：軍隊編制，據《周禮》鄭玄注，五百人為旅。
4. 卒：軍隊編制，據《周禮》鄭玄注，一百人為卒。

是故百戰百勝，非善之善者也；不戰而屈人之兵，善之善者也。故上兵伐謀[5]，其次伐交[6]，其次伐兵[7]，其下攻城。攻城之法，為不得已。修櫓轒轀[8]，具器械，三月而後成；距闉[9]，又三月而後已。將不勝其忿[10]而蟻附[11]之，殺士三分之一，而城不拔[12]者，此攻之災也。故善用兵者，屈人之兵而非戰也，拔人之城而非攻也，毀人之國而非久也。必以全[13]爭於天下，故兵不頓[14]而利可全，此謀攻之法也。

注釋

5. 伐謀：破壞敵人的計劃，用計謀使敵人屈服。
6. 伐交：運用外交手段孤立敵人，使之屈服。
7. 伐兵：出兵交戰。
8. 轒轀：古代一種用於攻城的戰車，有皮革裝護，可防箭石殺傷。
9. 距闉：闉，通“堙”，土山。構築土山。這是古代攻城的一種手段，在敵城墻的周圍構築土山以利於登城。
10. 不勝其忿：不能控制他的憤怒。
11. 蟻附：使士卒像螞蟻一樣爬城墻。
12. 拔：攻克，奪取。
13. 全：完全，即上文所說的“全國”、“全軍”、“全旅”、“全卒”、“全伍”等。
14. 頓：困頓。“頓”古與“鈍”通，《作戰篇》作“鈍兵挫銳”。

故用兵之法：十則圍之，五則攻之，倍則戰之，敵則能分之，少則能逃之，不若則能避之。故小敵之堅[15]，大敵之擒[16]也。

注釋

15. 小敵之堅：之，相當於“若”，如果；堅，堅守，固執。力量弱小的軍隊如果一味堅守硬拚。
16. 大敵之擒：之，相當於“則”，就會；擒，擒獲，捉拿。就會成為強大敵人的俘虜。

夫將者，國之輔[17]也。輔周[18]則國必強，輔隙[19]則國必弱。故君之所以患[20]於軍者三：不知軍之不可以進而謂[21]之進，不知軍之不可以退而謂之退，是謂縻[22]軍。不知三軍之事，而同[23]三軍之政者，則軍士惑矣。不知三軍之權[24]，而同三軍之任，則軍士疑矣。三軍既惑且疑，則諸侯之難至矣，是謂亂軍引勝[25]。

注釋

17. 輔：古代車輪外側的兩根直木，用以增強車輻的承載力。後引申為輔佐。
18. 周：配合無間。
19. 隙：漏洞，空隙。
20. 患：妨害。
21. 謂：使，讓。
22. 縻：牽制，束縛。
23. 同：參與。
24. 權：權變。
25. 亂軍引勝：引，避開，退卻。自亂其軍，自去其勝。一說釋"引"為"致"，即自亂其軍而導致敵人取勝，義亦通。

故知勝有五：知可以戰與不可以戰者勝，識眾寡之用者勝，上下同慾者勝，以虞[26]待不虞者勝，將能而君不禦者勝。此五者，知勝之道也。故曰：知彼知己者，百戰不殆[27]；不知彼而知己，一勝一負；不知彼，不知己，每戰必殆。

注釋

26. 虞：有準備。

27. 殆：危險。

串講

孫子說：用兵的基本法則是，保全敵人的城邑，使之完全降服是上策，攻破敵人的城邑就要低一等；保全敵“軍”使之降服是上策，擊破就低一等；保全敵“旅”使之降服是上策，擊破就低一等；保全敵“卒”使之降服是上策，擊破就低一等；保全敵“伍”使之降服為上策，擊破就低一等。所以說百戰百勝，並不是高明中最高明的；沒有交戰就能讓敵人屈服，才是高明中最高明的。用兵打仗的上策是利用計謀使敵人屈服，其次是利用外交手段使之屈服，再次是打敗敵人的軍隊，最下策是攻打敵人的城邑。攻城的辦法，是不得已而為之的。準備攻城用的大楯和轒轀，準備各種器械需要三個月的時間，構築攻城的土山又要三個月才能完成。將領控制不住他的憤怒，命令士兵像螞蟻一樣去爬城牆攻城，被殺死的士卒有三分之一，而城邑依然不能攻克，這就是攻城的災難了。所以善於用兵打仗的人，使敵兵屈服卻不是靠打仗，奪取了敵人的城池卻不是靠進攻，毀滅了敵國卻不是靠持久作戰。必須要用“完全”來爭勝於天下，所以軍隊不疲頓卻可以取得完全的勝利，這就是用智謀攻敵的法則。

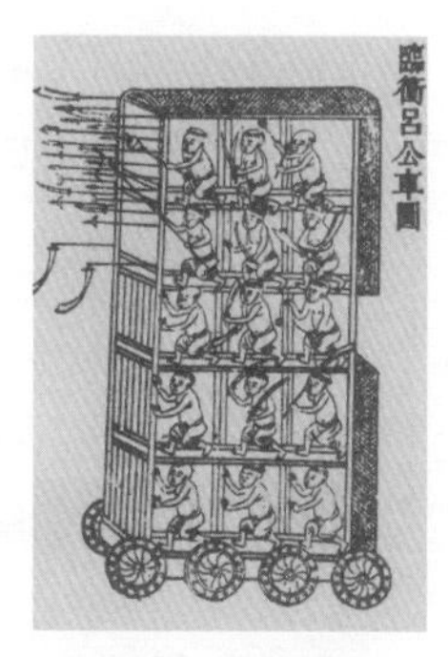

元末攻城時使用的臨衝呂公車圖

因此，用兵打仗的原則是，十倍於敵人就包圍他，五倍於敵人就進攻他，兩倍於敵人就佈陣迎戰，勢均力敵則要設法分散敵人兵力，兵力少於敵人要引兵退卻，實力不如敵人要避免交戰。力量弱小的軍隊若一味堅守硬拚，必然成為強大對手的俘虜。

將帥對於國家來說，就像輔木之於車輛一樣。如果將帥與國家能像輔木與車一樣配合無間，國家必然會強盛；如果輔木的配合有空隙，則國家一定衰弱。國君妨害軍隊的情況有三種：不知道軍隊不可以前進而讓它前進，不知道軍隊不可以後退而讓它後退，這就叫做束縛軍隊。不了解三軍的內部事務而參與軍隊的行政，就會讓將士迷惑。不懂得軍事上的權變之術而干預軍隊的指揮，就會讓將士憂亂。軍隊又是迷惑，又是憂亂，那麼諸侯強國乘機進犯的災難也就到來了，這就叫做自亂其軍，自去其勝。

因此，預知勝利的方法有五種：知道可以打仗和不能打仗的能夠取勝，懂得佈置兵力的能夠取勝，軍隊上下心意一致的能夠取勝，用有準備的軍隊去打無準備的軍隊的能夠取勝，將帥有才能而國君不加以束縛控制的能夠取勝。這五個方面，就是預知勝利的辦法。所以說：既了解敵人，又了解自己，即使打一百次仗都不會有危險；不了解敵人但了解自己，可能勝利，也可能失敗，勝負之數各半；既不了解敵人，也不了解自己，每次打仗都會有危險。

評析

本篇論述的中心是臨戰前的謀劃以及實現戰略謀劃的基本條件。

首先，孫子站在“必以全爭於天下”的高度，提出“百戰百勝，非善之善者也；不戰而屈人之兵，善之善者也”的思想。從這裡可以看出，孫子已經是以一種全面的、辯證的眼光分析戰爭了。他把戰爭區分為“戰”與“不戰”兩種形態，在兩相比較之中，他把“屈人之兵而非戰”、“拔人之城而非攻”的“謀攻之法”作為軍事謀略的最高原則加以強調，反映了孫子作為一個優秀軍事家的戰略眼光。

鬥爭的形態有“戰”與“不戰”兩種，而具體的鬥爭方式則又可分為“伐謀”、“伐交”、“伐兵”和“攻城”四種。其中“伐謀”與“伐交”屬於“不戰”的鬥爭方式，而“伐兵”與“攻城”則屬於“戰”的方式。孫子認為“伐謀”為“上兵”，即最有利的用兵策略，而把“攻城”作為“不得已”之法，這集中體現了他注重以智謀取敵的軍事思想。

“伐謀”與“伐交”儘管能實現“不戰而屈人之兵”的目的，但是“伐兵”與“攻城”卻是戰爭最為常見的方式。在不得已採取“伐兵”與“攻城”策略時，如何來正確地指揮戰爭、減少損失以爭取勝利呢？孫子提出的用兵原則是：“十則圍之，五則攻之，倍則戰之，敵則能分之，少則能逃之，不若則能避之。”即居於優勢地位時按兵力比例採取不同的方式主動與敵作戰，處於劣勢時則避免正面交鋒。他特別指出了兵力處於劣勢時死守硬拚的嚴重後果，“小敵之堅，大敵之擒也”，反對以弱勢兵力硬抗強敵。

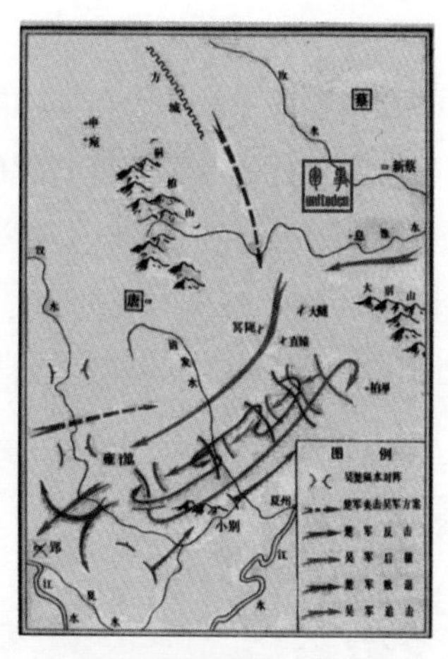

吳、楚柏舉之戰作戰圖

孫子把國君與將帥之間的關係比作車輪與輔木，他們之間的關係決定着國勢的強弱。他特別指出國君盲目干預軍隊事務，由於指揮不當而危害三軍的情況。從古至今，最高領導者越權指揮部屬，限制軍隊行動的主動性、靈活性而導致失敗的戰例很多。古代如唐代安祿山叛亂時，其部將崔乾知屯兵陝州，引誘唐軍出兵，唐軍將領哥舒翰識破其計，按兵不動，但唐王朝受騙，兩度催促哥舒翰出擊，結果唐軍慘敗，哥舒翰被俘，長安陷落。這是“不知軍之不可以進而謂之進”的典型例子。近世則如發生在1942年11月30日的太平洋塔薩法隆格海戰，美國艦隊由於最高指揮者賴特的猶豫不決，錯失進攻良機而被日本艦隊打敗。因此，孫子的這一思想至今仍有警示意義。

本篇最為光輝的軍事見解，就是被後世軍事家推崇備至的“知彼知己，百戰不殆”。孫子以簡潔明瞭的八個字，指出了戰爭的指揮者對敵對雙方情況的了解、掌握與戰爭勝負結局之間的因果關係，揭示了指揮作戰的普遍規律。毛澤東在《論持久戰》中對此給予了高度的評價："戰爭不是神物，仍是世間的一種必然運動。因此，孫子的規律，'知彼知己，百戰不殆'，仍是科學的真理。"在現代社會更為廣泛的競爭環境中，"知彼知己，百戰不殆"，這條從古老的軍事戰爭中總結出來的規律，已經轉變成為一條普遍的真理，得到了各行各業人們的認同和尊奉。

名家論析

曹操：欲攻敵，必先謀。

杜牧：廟堂之上，計算已定，戰爭之具，糧食之費，悉以用備，可以謀攻。故曰謀攻也。

張預：計議已定，戰具已集，然後可以智謀攻，故次作戰。

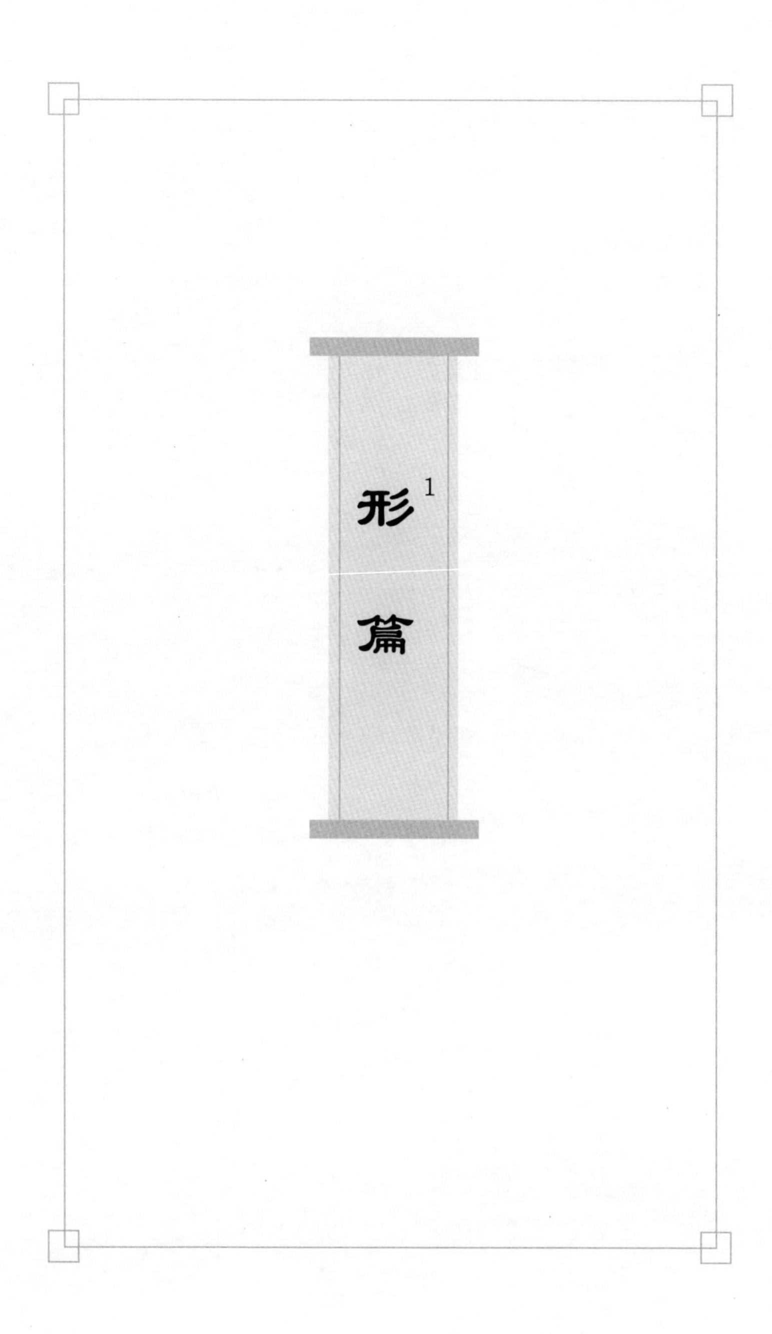

形篇[1]

孫子曰：昔之善戰者，先為不可勝[2]，以待敵之可勝[3]。不可勝在己，可勝在敵。故善戰者，能為不可勝，不能使敵必可勝。故曰：勝可知而不可為。不可勝者，守也；可勝者，攻也。守則有餘，攻則不足[4]。善守者，藏於九地之下[5]；善攻者，動於九天之上[6]，故能自保而全勝也。

注釋

1. 形：形體，形狀。這裡指軍事實力的客觀表現形態。
2. 不可勝：指自己一方不可被戰勝的條件。
3. 可勝：指對方可以被戰勝的機會與條件。
4. 守則有餘，攻則不足：防守的要義在於示敵以有餘，使敵不敢來攻；進攻的要義在於示敵以不足，使敵放鬆警惕。
5. 藏於九地之下：九地，極言其深。形容防禦時兵力隱蔽之深。
6. 動於九天之上：九天，極言其高。形容進攻時攻擊速度之快。

見勝[7]不過眾人之所知，非善之善者也。戰勝[8]而天下曰善，非善之善者也。故舉秋毫不為多力，見日月不為明目，聞雷霆不為聰耳。古之所謂善戰者，勝於易勝者[9]也。故善戰者之勝也，無智名，無勇功，故其戰勝不忒[10]。不忒者，其所措必勝[11]，勝已敗者也。故善戰者，立於不敗之地，而不失敵之敗也。是故勝兵先勝而後求戰，敗兵先戰而後求勝。善用兵者，修道而保法[12]，故能為勝敗之政[13]。

注釋

7. 見勝：預見勝利。
8. 戰勝：交戰之後取得勝利。
9. 易勝者：容易被戰勝的對手。
10. 忒：差錯。
11. 所措必勝：措，措置。指所採取的措施建立在必勝的基礎上。
12. 修道而保法：修明政治，保證法制貫徹執行。
13. 為勝敗之政：政，通“正”，主宰。意指能夠掌握勝敗的決定權。

兵法[14]：一曰度[15]，二曰量[16]，三曰數[17]，四曰稱[18]，五曰勝[19]。地生度[20]，度生量[21]，量生數[22]，數生稱[23]，稱生勝[24]。故勝兵若以鎰稱銖[25]，敗兵若以銖稱鎰。稱勝者之戰民也[26]，若決積水於千仞之谿者[27]，形也。

注釋

14. 兵法：軍隊的基本原則。
15. 度：長短的標準，如丈、尺、寸等。 這裡指土地面積。
16. 量：容量、重量的標準，如鍾、斗、升、石等。這裡指物產總量。
17. 數：數目，如千、百、十等。這裡指民戶及兵丁的數量。
18. 稱：稱量，權衡。這裡指敵我雙方的實力。
19. 勝：優勢。
20. 地生度：為丈量土地而產生長短之度。
21. 度生量：土地的面積決定物產的總量。
22. 量生數：物產的總量決定民戶和兵丁的數量。
23. 數生稱：民戶與兵丁的數量決定敵我雙方的實力。
24. 稱生勝：敵我雙方的實力決定着雙方的優劣之勢。
25. 以鎰稱銖：鎰和銖都是古代的重量單位，二十四銖為一兩，二十兩為一鎰（一說二十四兩為一鎰）。用鎰來稱量銖，形容力量懸殊。
26. 稱勝者之戰民也：稱勝者，指經過衡量對比在實力上佔據優勢地位的一方；戰民，指揮三軍作戰。

27. 決積水於千仞之谿者：決，決堤；仞，長度單位，七尺或八尺為一仞，說法不一，千仞，極高奇高。積水從千仞之高的谿谷決流而下，形容軍隊勢不可阻，疾不可禦。

串講

孫子說：過去善於指揮打仗的人，首先創造自己一方不可被戰勝的條件，再來等待戰勝敵人的機會。不會被敵人戰勝的條件由自己掌握，是否有戰勝敵人的機會則在敵人一方。所以善於打仗的人，能創造條件讓自己不被敵人戰勝，但不是一定能戰勝敵人。所以說，勝利可以預知，但不可強求。不能被敵人戰勝的原因在於防守，可以戰勝敵人的條件在於進攻。防守的要義在於示敵以有餘，使敵不敢來攻；進攻的要義在於示敵以不足，使敵放鬆警惕。善於防守的人隱藏自己的兵力如同深藏於地下，善於進攻的人用兵神速如同從天而降，所以既能保全自己，又能取得完全的勝利。

預見勝利不能超過一般人的見識，不是高明中最高明的。交戰之後取得勝利，並且天下人都稱好，那也不是高明中最高明的。所以能夠舉得起秋毫算不上力氣大，看得見日月算不上眼明，聽得見雷霆算不上耳聰。古代人所說的善於打仗的人，是戰勝那些容易戰勝的敵人。所以善於打仗的人取得勝利，沒有多智多謀的名聲，沒有勇武的功績，但他取得勝利不會有什麼閃失。之所以沒有閃失，就是因為他所採取的措施是建立在

戰國・兵戰圖

必勝的基礎上的，是戰勝已經處於敗勢的敵人。善於打仗的人，使自己立於不敗之地，同時又不放過打敗敵人的機會。所以，勝利的軍隊總是先有勝利的把握，然後才去尋求和敵人交戰，而失敗的軍隊則是先同敵人交戰，然後才尋求取勝的機會。善於用兵打仗的人，首先是修明政治，保證法制貫徹執行，所以他能夠成為掌握戰爭勝負決定權的人。

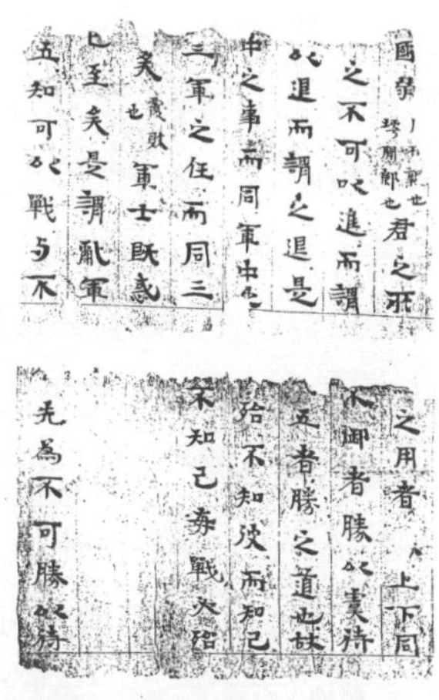

敦煌晉寫本《孫子兵法》

軍隊的基本原則：一是與土地面積相關的“度”，二是與物產資源相關的“量”，三是與民戶、兵丁數目相關的“數”，四是衡量敵我雙方實力的“稱”，五是決定戰爭勝負結果的“勝”。丈量土地產生長短之度，土地的長短之度決定物產資源的總量，物產總量決定民戶、兵丁的數目，民戶、兵丁的數目決定敵我雙方的實力，敵我雙方的實力決定戰爭的勝負之勢。所以勝利的軍隊就像用鎰稱量銖一樣佔有絕對的優勢，失敗的軍隊就像用銖稱量鎰一樣處於絕對的劣勢。經過衡量對比在實力上佔據優勢地位的一方的指揮作戰，就像積水從千仞之高的谿谷決流而下，勢不可擋，這就是實力的表現。

評析

本篇着重論述的是如何形成“強形”之兵，使軍隊立於不敗之地的問題。

在此文中，孫子把土地（度）、物產（量）、人口（數）等國民經濟條件與軍事實力（稱）、戰爭勝負（勝）直接聯繫起來，組成了這樣一個因果關係鏈：度→量→數→稱→勝。作戰雙方軍事實力的強弱對比，是決定戰爭勝負的基礎條件。“勝兵若以鎰稱銖，敗兵若以銖稱鎰”，善於用兵打仗的軍隊，總是想辦法先造成力量上的絕對優勢，使自己立於不敗之地，“先勝而後求戰”，這樣的軍隊，一旦採取行動進攻敵人，就像積水從千仞之谿谷決流而下一樣勢不可擋。基於這一認識，孫子提出了“先為不可勝，以待敵之可勝”的作戰思想。

如何才能做到“先為不可勝”呢？孫子認為這個主動權掌握在自己的手中，只要“修道而保法”，不打無準備、無把握之仗，先使自己立於不敗之地，“勝兵先勝而後求戰”，待敵有可乘之機時迅速出擊，就能“不失敵之敗”而成為勝利的主宰。“勝兵先勝而後求戰”的思想，強調以實力為基礎，在有準備的前提下不放過任何戰勝敵人的機會。這是一種以穩妥為前提而又不失積極性與主動性的作戰思想，因而一直為後世軍事家所重視。

孫子不主張以犧牲士卒生命為代價來爭取勝利，因此，在論述攻守之勢時，提出了一個“自保而全勝”的主張，其要義在於：防守是不可被戰勝的條件，而進攻則是勝敵的條件；將帥要依據雙方兵力的強弱來決定是進攻還是防守。他所提出的“自保而全勝”的方法是，“守則有餘，攻則不足。善守者，藏於九地之下；善攻者，動於九天之上”。這既是攻守的策略，也是對“兵者，詭道”思想的進一步深化。

名家論析

曹操：軍之形也，我動彼應，兩敵相察，情也。

李筌：形謂主客、攻守、八陣、五營、陰陽、向背也。

王皙：形者，定形也，謂兩敵強弱有定形也。善用兵者，能變化其形，因敵以制勝。

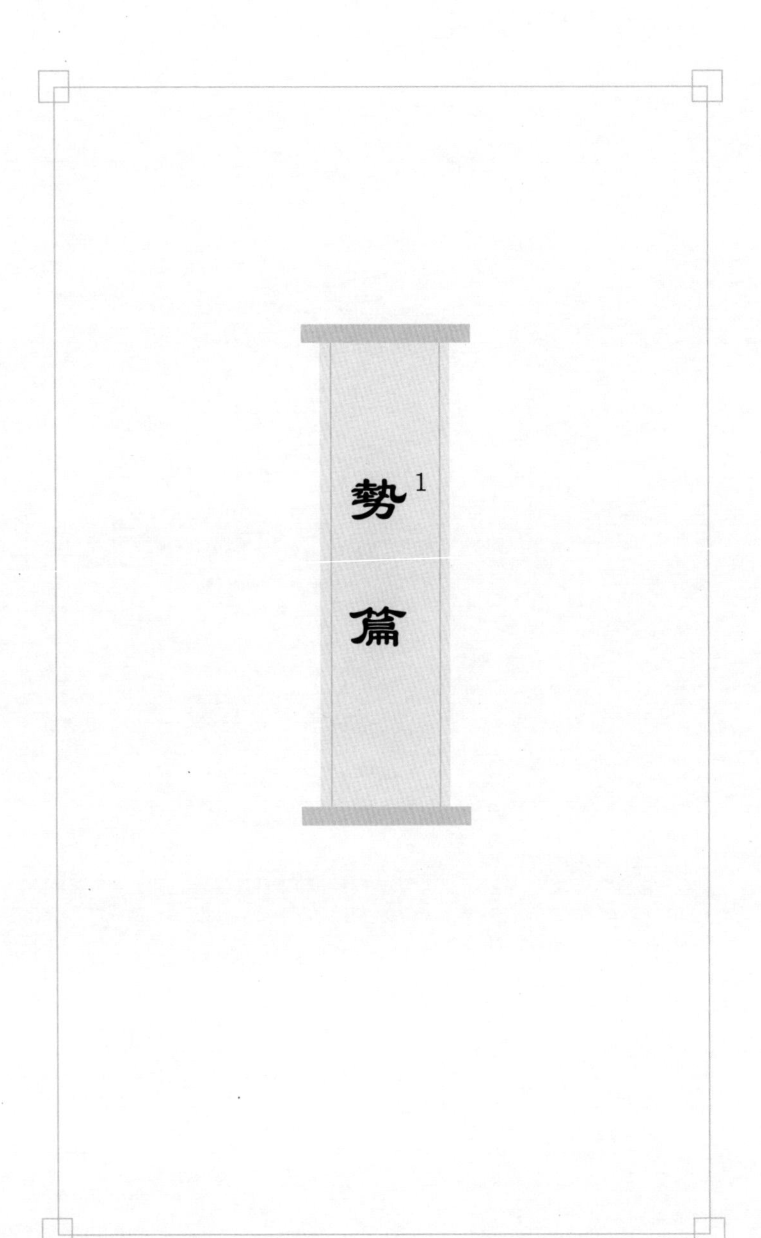

勢篇[1]

孫子曰：凡治眾如治寡，分數[2]是也。鬥眾如鬥寡，形名[3]是也。三軍之眾，可使必[4]受敵而無敗者，奇正[5]是也。兵之所加，如以碫[6]投卵者，虛實是也。

注釋

1. 勢：態勢。
2. 分數：分，分別；數，人數。分別人數，這裡指按一定的層級、人數組織和編制隊伍。
3. 形名：指事物的形狀與名稱。最早為先秦形名家的術語，這裡指指揮作戰的旌旗金鼓之制。"形"指旌旗，令人可見；"名"指金鼓，使人可聞。
4. 必：通"畢"，全面。
5. 奇正：奇，出人意料的；正，正規的。奇正是先秦常用的軍事術語，即運用常規與非常規戰術相結合的方法來打擊敵人以取得勝利。
6. 碫：鍛鐵用的砧石，也可泛指石塊。

凡戰者，以正合[7]，以奇勝。故善出奇者，無窮如天地，不竭如江河。終而復始，日月是也；死而復生，四時是也。聲不過五[8]，五聲之變，不可勝[9]聽也。色不過五[10]，五色之變，不可勝觀也。味不過五[11]，五味之變，不可勝嘗[12]也。戰勢不過奇正，奇正之變，不可勝窮也。奇正相生，如環之無端，孰能窮之？

注釋

7. 合：兩軍交鋒。
8. 聲不過五：指宮、商、角、徵、羽，即古人所謂“五聲”。
9. 勝：窮盡。
10. 色不過五：指青、黃、赤、白、黑，即古人所謂“五色”。
11. 味不過五：指酸、咸、辛、苦、甘，即古人所謂“五味”。
12. 嘗：同“嚐”，品嚐。

激水之疾，至於漂石[13]者，勢也。鷙鳥[14]之疾，至於毀折[15]者，節[16]也。是故善戰者，其勢險[17]，其節短，勢如彍弩[18]，節如發機[19]。紛紛紜紜，鬥亂而不可亂也；渾渾沌沌[20]，形圓[21]而不可敗也。亂生於治，怯生於勇，弱生於強。治亂，數[22]也；勇怯，勢也；強弱，形也。故善動敵者，形之，敵必從之；予之，敵必取之；以利動之，以卒[23]待之。故善戰者，求之於勢，不責於人，故能擇人[24]而任勢[25]。任勢者，其戰人也，如轉木石。木石之性，安則靜，危則動，方則止，圓則行。故善戰人之勢，如轉圓石於千仞之山[26]者，勢也。

注釋

13. 漂石：移動石頭。
14. 鷙鳥：指鷹、鵰類猛禽。
15. 毀折：攫殺小動物。
16. 節：掌握節奏，伺機而動。
17. 險：險疾。
18. 彍弩：彍，拉開弓弦。拉滿的弓弩，比喻急疾、危險。
19. 發機：撥動弓弩的弩牙。比喻掌握節奏，抓住時機突然發動進攻。

20. 渾渾沌沌：形容混迷不清。

21. 形圓：陣形密合，無懈可擊。

22. 數：即前文所言“分數”，部隊的編制。

23. 卒：兵卒。

24. 擇人：擇，區別。區別敵人的不同情況。

25. 任勢：利用各種有利的態勢。

26. 轉圓石於千仞之山：從千仞之高的山頂滾下圓石，形容態勢的險迅急速。

串講

孫子說：管理大部隊如同管理小分隊，因為有部隊的組織與編制發揮作用。指揮大部隊作戰與指揮小部隊作戰一樣，因為有旌旗金鼓等指揮號令發揮作用。統率三軍，能夠在三軍全面遭受敵人的進攻時不致失敗，因為有常規及非常規的戰術發揮作用。佈置兵力打擊敵人，如同拿着鐵石去砸雞蛋，這是由於用優勢兵力打擊敵人薄弱之處的原因。

大凡指揮打仗，都是用常規的陣法與敵人交戰，而用出人意料的奇兵來贏得勝利。所以善於佈置奇兵、出奇制勝的將帥，他的作戰方法就像天地那樣無窮無盡，像江河一樣不會枯竭。結束了又重新開始，那是日月的運行；死去了又重新復蘇，那是四時的更迭。聲音不過只有宮、商、角、徵、羽五種音階，但由五個音階變化所致，就是聽不勝聽的。顏色不過只有青、黃、赤、白、黑五種正色，但五種正色變化所致，就是觀不勝觀的。味道不過只有酸、咸、辛、苦、甘五種，但由五種味道變化所致，就是嚐不勝嚐的。作戰的態勢不過是“奇”

與“正”，但奇正的各種變化，卻是無窮無盡的。奇與正相互轉化，就像玉環一樣無始無終，誰能窮盡它呢？

漢 · 足蹬弩施放圖

湍急的流水速度之快，以致能夠移動水中的石頭，這是由於水勢險疾的原因。鷙鳥捕物時的迅疾，以致於能夠攫殺動物，是因為它能把握節奏，抓住時機，突然發動進攻。所以善於打仗的人，他所造成的態勢是險急的，節奏是短促的。險急的態勢就像拉滿的弓弩，把握時機發動進攻如同扣發弩機。

紛紛紜紜，在混亂中作戰而使軍隊不亂；渾渾沌沌，陣形圓密而不會被打敗。混亂與治理相對而言，怯懦與勇敢相對而言，弱小與強大相對而言。治理還是混亂，這是由軍隊的組織編制決定的；勇敢還是怯懦，這是由戰爭的態勢決定的；強大還是弱小，這是由軍隊的實力決定的。所以善於驅使敵人採取行動的將帥，以假像來迷惑敵人，敵人一定會上當；給敵人以小利，敵人必然會接受。用利益來驅動敵人，用勁兵來守候消滅敵人。

因此，善於用兵打仗的人，依賴於態勢的發展而不苛責於部屬，所以他能區別不同的敵情並且善於利用各種有利的態勢。能夠利用各種有利態勢的人，他指揮作戰，就像運轉木頭石頭一樣。木頭石頭的本性，是放在安穩平坦的地方就會靜止，放在傾斜陡峭的地方就會滾動；外形是方的就會靜止，外形是圓的就會滾動。所以善於指揮作戰的將領所造就的態勢，就像從千仞之高的山頂上滾下圓石一樣，這就是險迅急速的態勢。

評析

本篇題名為“勢”，論述的中心就是造勢及任勢。這裡所謂的“勢”，就是以自己的軍事實力為基礎，充分發揮將帥的領導指揮才能，從而造成的那種“如轉圓石於千仞之山”的有力態勢。孫子認為，“勢”是軍心勇怯的標誌，將帥如果能夠充分利用各種有利的態勢，他所率領的軍隊就會銳不可擋。因此，他認為，一個好將軍的重要素質就是“能擇人而任勢”，即能夠正確地分析敵情並且能夠充分地利用各種有利的態勢打擊敵人。

那麼，如何來造勢呢？“戰勢不過奇正，奇正之變，不可勝窮也”。“奇正”是本篇最核心的一對概念，“三軍之眾，可使必受敵而無敗者，奇正是也”，“凡戰者，以正合，以奇勝”，“戰勢不過奇正”，“奇正相生，如環之無端”。頻繁出現於文中的“奇”與“正”究竟指什麼呢？在這裡，“奇正”是就謀略用兵的方法而言的。概括地說，“正”就是按照一般的作戰原則與規律佈置和使用兵力的方法，“奇”則指出乎常人預料的根據特殊情況而靈活佈置和使用兵力的方法。由於戰爭是一個動態發展的過程，因此，正兵可做奇兵之用，而奇兵亦可做正兵之用，這就是所謂的“奇正相生”。奇正之變，實質上是雙方將領智慧與謀略的角逐，集中地反映了戰局的瞬息萬變以及戰爭本身的機動性與靈活性。指揮戰爭的一般規律是“觀察敵情，分析敵情，作出判斷，採取行動”，所謂“善出奇

清・記載孫子生平的“孫子石碑”

者，無窮如天地，不竭如江河”，就是指戰爭的指揮者能夠根據敵情的變化及時調整戰術，採取果斷的行動使戰局朝着預期的方向發展。在中外戰爭史上，出奇制勝的戰例不勝枚舉，如二戰中扭轉歐洲戰場局勢的盟軍諾曼底登陸，就是戰爭史上奇正相生而克敵制勝的典型戰役。

出奇制勝的關鍵在於示形於敵，以假像迷惑敵人。“善動敵者，形之，敵必從之；予之，敵必取之；以利動之，以卒待之”。也就是現在人們常說的“聲東擊西”。這與《形篇》的“守則有餘，攻敗不足”一樣，也是對“兵者，詭道”思想的進一步完善。

在本篇中，孫子還提出並論述了多組具有辯證法思想的概念。除上述“奇正”之外，還有“治”與“亂”、“勇”與“怯”、“強”與“弱”等。這些相互對立的概念以及其間相互轉化的關係，反映了孫子對事物動態存在過程中各種對立統一的矛盾關係的認識，是孫子樸素的辯證法思想的表現。

《形篇》和《勢篇》是相互關聯的兩篇文字，兩相比較可以看出，“形”指軍事實力的客觀表現形態，是一個靜態的物質概念；“勢”指軍事實力發揮與應用的態勢，這是一個包含了很強的主觀能動性的動態的物理概念。“強弱，形也”，“勇怯，勢也”，二者相輔相承，“勢”以“形”為物質基礎，“形”因“勢”而更具力量。“若決積水於千仞之谿”，“如轉圓石於千仞之山”，實質上討論的都是集中優勢兵力以迅猛的行動來攻擊敵人。只有以強大的軍事實力為基礎，充分發揮將帥的主動性，利用一切有利態勢的軍隊，才能具備如此勢不可擋的力量，無往而不勝。

名家論析

曹操：用兵任勢也。

王晳：勢者，積弱之變也。善戰者能任勢以取勝，不勞力也。

張預：兵勢已成，然後任勢以取勝，故次形。

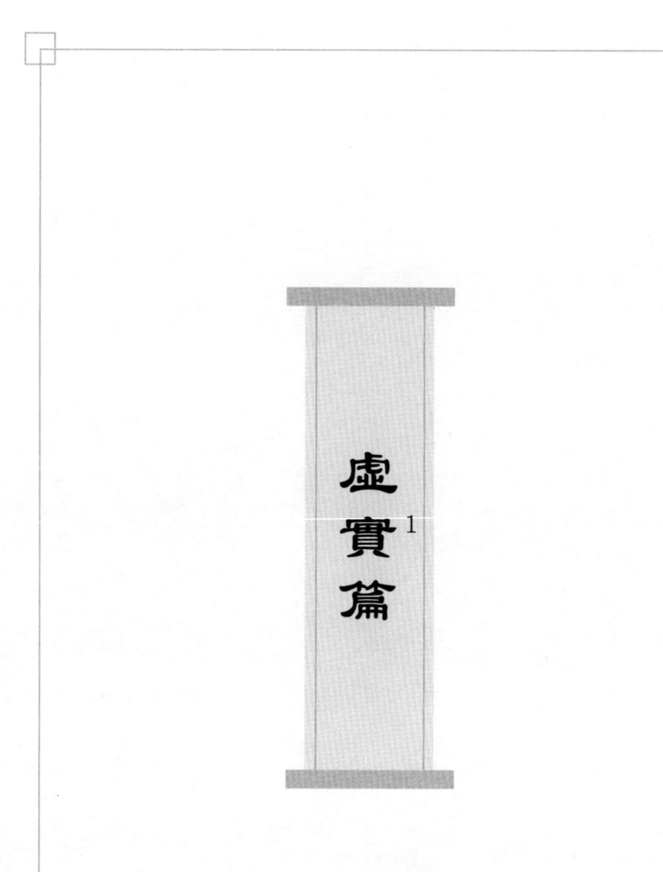

虛實篇[1]

孫子曰：凡先處[2]戰地[3]而待敵者佚[4]，後處戰地而趨戰[5]者勞。故善戰者，致人[6]而不致於人。能使敵人自至者，利之也；能使敵人不得至者，害之也。故敵佚能勞之，飽能饑之，安能動之。

注釋

1. 虛實：虛，空虛，兵力分散、薄弱。實，充實，兵力集中、強大。
2. 處：到達，佔據。
3. 戰地：作戰地點。
4 佚：同“逸”，安逸。
5. 趨戰：趨，急促，倉促。倉促應戰。
6. 致人：使敵人前來就我。

出其所不趨，趨其所不意[7]，行千里而不勞者，行於無人之地也。攻而必取者，攻其所不守也；守而必固者，守其所不攻也。故善攻者，敵不知其所守；善守者，敵不知其所攻。微乎微乎！至於無形[8]；神乎神乎！至於無聲[9]，故能為敵之司命。

注釋

7. 出其所不趨，趨其所不意：進攻敵人來不及救援的地方，前往敵人意想不到的地方。
8. 微乎微乎！至於無形：微，微妙。微妙至極，以至於無影無形。
9. 神乎神乎！至於無聲：神，神奇。神奇至極，以至於無聲無息。

進而不可禦者，衝其虛[10]也；退而不可追者，速而不可及也。故我欲戰，敵雖高壘深溝，不得不與我戰者，攻其所必救也；我不欲戰，雖劃地而守之，敵不得與我戰者，乖其所之[11]也。故形人而我無形[12]，則我專[13]而敵分，我專為一，敵分為十，是以十攻其一也。則我眾而敵寡，能以眾擊寡者，則吾之所與戰者，約[14]矣。

注釋

10. 衝其虛：襲擊敵人防守空虛的地方。
11. 乖其所之：乖，違背。之，往，到。使敵人進攻的方向與我行軍的方向背離。

12. 形人而我無形：形人，使敵情顯露；無形，無形跡，即隱蔽軍形。使敵情暴露而我方卻能隱蔽軍形。

13. 專：專一，即兵力集中。

14. 約：少，寡。

吾所與戰之地[15]不可知，不可知，則敵所備者多[16]；敵所備者多，則吾所與戰者寡矣。故備前則後寡，備後則前寡，備左則右寡，備右則左寡，無所不備，則無所不寡。寡者，備人者也；眾者，使人備己者也。故知戰之地，知戰之日，則可千里而會戰。不知戰地，不知戰日，則左不能救右，右不能救左，前不能救後，後不能救前，而況遠者數十里，近者數里乎？以吾度[17]之，越人之兵雖多[18]，亦奚[19]益於勝敗哉？故曰：勝可為[20]也，敵雖眾，可使無鬥。

注釋

15. 所與戰之地：準備和敵人交戰的地點。

16. 敵所備者多：敵人需要防守的地方多。

17. 度：揣度，推測。

18. 越人之兵雖多：越國的軍隊雖然數量很多。在春秋後期，吳國與越國之間戰事頻繁，孫子為吳王闔閭論兵，故以越人為預想的敵人。
19. 奚：表示反問語氣，如何。
20. 勝可為：為，創造，爭取。勝利是可以爭取的。《形篇》有"勝可知而不可為"，這是立足於軍隊實力的立論，重在強調取得勝利的客觀基礎，是針對敵人之"能為不可勝"而言的。而此文的"勝可為"則側重於強調軍隊的主觀能動性，是針對一方避實擊虛，而對方"不知戰地，不知戰日"、"無所不備"、"無所不寡"的情況而言的。二者立論的出發點不同，故雖文字相異，實質上並不矛盾。

故策[21]之而知得失之計，候[22]之而知動靜之理，形[23]之而知死生之地，角[24]之而知有餘、不足之處。故形兵之極，至於無形；無形，則深間[25]不能窺，智者不能謀。因形而錯[26]勝於眾，眾不能知。人皆知我所以勝之形，而莫知吾所以制勝之形；故其戰勝不復，而應形於無窮。

注釋

21. 策：謀劃，測度。

22. 候：窺視，偵察。

23. 形：陣勢、陣形佈局。

24. 角：角量，較量。

25. 深間：隱藏很深的間諜。

26. 錯：同“措”，放置。

夫兵形[27]像水，水之行，避高而就下；兵之勢[28]，避實而擊虛。水因地而制流，兵因敵而制勝。故兵無常勢，水無常形。能因敵變化而取勝者，謂之神[29]。故五行無常勝，四時無常位，日有短長，月有死生。

注釋

27. 兵形：軍隊的部署。

28. 兵之勢：用兵作戰的態勢。

29. 神：神妙，這裡指用兵如神。

串講

孫子說：凡是事先到達作戰地點等待敵人到來的一方就主動安逸，後到達作戰地點而倉促應戰的一方就被動疲勞。所以善於用兵打仗的人，能夠使敵人前來就我而不會受制於敵人。能夠讓敵人自動到達預定地點的，是用利益引誘的結果；能夠讓敵人不得到達預定地點的，是破壞、阻止的結果。所以敵人安逸時要讓他疲勞，敵人糧草充足時要讓他捱餓，敵人安營紮寨要讓他不停地行軍。

進攻敵人來不及救援的地方，前往敵人意想不到的地方，行軍千里也不會感到勞累，因為行走在無人阻擋的空虛地帶。進攻能夠必然取勝的原因，是攻擊其不防守的地方。防守必然堅固的原因，是因為防守之地敵人無法進攻。所以面對善於進攻的人，敵人不知道該守衛何處；面對善於防守的人，敵人不知道應該攻擊哪裡。兵力的部署微妙至極，以至於無影無形；神奇至極，以至於無聲無息，所以能夠成為敵人命運的主宰。

進攻時敵人無法抵禦，因為襲擊的是敵人防守空虛的地方；撤退時敵人無法追趕，是因為行軍迅速而來不及追趕。所以我軍要戰，敵人即使高牆深溝，也不得不與我軍作戰，是因為我們進攻的是敵人必須救援的地方；我軍不想作戰，即使僅僅劃地而守，敵人也無法和我軍作戰，是因為我們把敵人的進攻方向引向了別的地方。使敵人暴露而我軍不露痕跡，那麼我軍兵力集中而敵人不得不分散兵力。我軍兵力集中在一地，而敵人的兵力則分散在十處，這就是用十倍的兵力來進攻敵人。我軍人多，敵軍人少，能夠以眾擊寡，那麼能夠和我軍作戰的敵人就很少了。

我軍準備進攻的地點敵人不可能知道，敵人不知道，那麼他所要防備的地方就多；敵人需要防守的地方多，那麼我軍所要進攻的敵人就少了。所以前邊防備充分則後邊薄弱，後邊防備充分則前面薄弱，左翼防備充分則右翼薄弱，右翼防備充分則左翼薄弱，所有的地方都有所防備，則所有的地方都薄弱。力量薄弱，是因為要防備別人；力量充實，是因為讓別人來防備自己。所以知道作戰的地點，知道作戰的日期，就可以行軍千里去參加戰鬥。不知道作戰的地點，不知道作戰的日期，即使左翼也不能救右翼，右翼也不能救左翼，前面的不能救後面，後面的也不能救前面，更何況於那些遠說相距數十里，近說也有數里之遙的呢？根據我的分析，越國的軍隊雖然數量眾多，對於取得勝利又有什麼幫助呢？所以說勝利是可以爭取的，敵人雖然數量眾多，但仍可以使他們無法與我們爭鬥。

漢・銅馬兵陣

通過謀劃就可以了解敵人作戰計劃的優劣得失，通過偵察就可以了解敵人活動的規律，通過部署兵力就可以知道哪裡是生地，哪裡是死地，通過較量就可以知道兵力的有餘與不足。所以佈置兵力的最高水平，是達到無跡可尋；無跡可尋，那麼即使隱藏再深的間諜也不能窺探其中的秘密，即使再聰明的人也想不出對付的辦法。憑藉這樣的兵力部署把勝利擺放在眾人面前，眾人也看不出來。人們都知道我取得勝利的陣形佈置，但沒有人知道我是怎麼佈置這種能夠取勝的陣形的。每一次取勝的方法都不會重複，而是根據兵力部署的變化而應對無窮。

所以軍隊的部署就像流水一樣，水的流動總是避開高地而流向低處，用兵作戰的態勢，是避開有實力的軍隊而襲擊敵人防守空虛的地方。水根據地勢的高低而決定流向，軍隊則根據敵情而決定取勝的方法。所以說軍隊沒有恆常的態勢，流水沒有恆常的形狀。能夠根據敵情的變化採取相應的措施並且取得勝利的，就是用兵如神。所以五行沒有不受克制而常勝的，四時沒有不進行更替而固定不變的，白晝有短有長，月有陰晴圓缺。

評析

在《勢篇》中，孫子就用比喻的方式對虛實的本質進行了界定：“兵之所加，如以碫投卵者，虛實是也。”即集中優勢兵力打擊敵人的薄弱之處。在這篇題名為“虛實”的文字中，孫子集中討論了作戰過程中如何“避實而擊虛”、“因敵而制勝”的問題。

孫子首先提出了作戰指揮中掌握戰爭主動權這個極為重要的問題：“故善戰者，致人而不致於人。”用通俗的話來說，就是優秀的將領總是牽着敵人的鼻子走而自己不受牽制。只有掌握了戰爭的主動權，才能以此為契機，調動和分散敵人兵力，形成可乘之機，為以實擊虛、以眾擊寡創造條件。

戰爭的過程不外乎進、退、攻、守，孫子對進、退、攻、守中如何實現“避實而擊虛”的問題進行了詳細的論述：進則“衝其虛”，退則“速而不可及”，欲戰則“攻其所必救”，不欲戰，則“乖其所之”。這是對“致人而不致於人”這條普遍規律的細緻化，他通過對具體戰爭意圖及其行為的討論，闡明了這樣一個規律：靈活機動的主動性是引導戰勢走向、達到“避實而擊虛”目的的關鍵。

孫子用水的流向來比喻戰爭的態勢，通過與水形的比較，

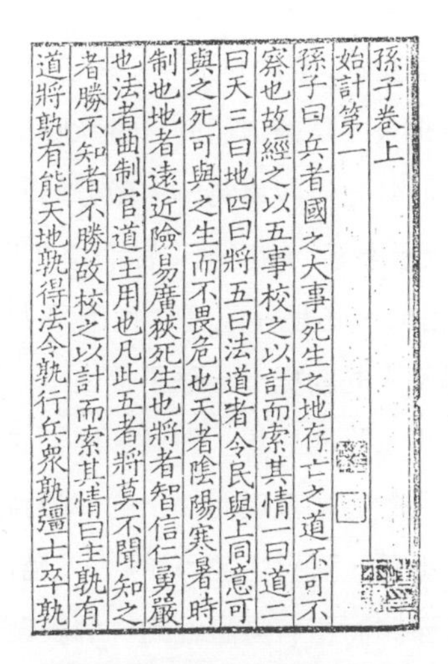
孫子卷上
始計第一
孫子曰兵者國之大事死生之地存亡之道不可不
察也故經之以五事校之以計而索其情一曰道二
曰天三曰地四曰將五曰法道者令民與上同意可
與之死可與之生而不畏危也天者陰陽寒暑時
制也地者遠近險易廣狹死生也將者智信仁勇嚴
也法者曲制官道主用也凡此五者將莫不聞知之
者勝不知者不勝故校之以計而索其情曰主孰有
道將孰有能天地孰得法令孰行兵衆孰彊士卒孰

宋本《武經七書》引《孫子兵法》

他把“避實而擊虛”作為兵力部署的一條普遍規律提了出來：“兵形像水，水之行，避高而就下；兵之勢，避實而擊虛。”世間的萬事萬物都是在不斷地變化中存在和發展的，同時，所有的變化又都是有規律可循的，就像“五行無常勝，四時無常位，日有短長，月有死生”，軍事活動中的“虛實”亦是如此，這就是孫子所說的：“水因地而制流，兵因敵而制勝。故兵無常勢，水無常形。”因此，只要掌握了兵勢變化的基本規律，及時準確地了解敵情，積極主動地採取行動，就能化敵之“實”為“虛”，變己之“虛”為“實”，從而以實擊虛，爭取勝利。孫子認為，“避實而擊虛”、“因敵而制勝”是軍事指揮的最高境界，所以他對此作出了極高的評價：“能因敵變化而取勝者，謂之神。”

“兵者，詭道”是孫子軍事思想的核心內容，在論述兵力部署的虛實問題時，這個問題又得到了進一步的討論。“形人而我無形”、“形兵之極，至於無形”，孫子主張通過“示形”等各種手段來欺騙敵人，隱蔽自己的真實意圖，逼迫敵人分散兵力，做到“我專而敵分，我專為一，敵分為十”，使敵人陷入“無所不備，則無所不寡”的境地，從而達到“以十攻其一”、“以眾擊寡”的目的。正是在這種掌握戰爭主動權，積極、機動、靈活地打擊敵人的前提下，孫子提出了“勝可為”的軍事思想。這種“勝可為”的思想，與《形篇》立足於軍隊實力，重在強調取得勝利的客觀基礎而提出的“勝可知而不可為”，文字上雖然相互抵觸，實質上並不矛盾。恰恰相反，這正是孫子軍事思想內涵深厚而富有辯證性的一個表現。

在《李衛公問對》中，唐太宗李世民說過這樣一段話：“朕觀諸兵書，無出《孫子》。《孫子》十三篇，無出《虛實》。夫用兵，識虛實之勢，則無不勝焉。”唐太宗對《虛實篇》的評價，可謂至矣！

名家論析

曹操：能虛實彼也。

杜牧：夫兵者，避實擊虛，先須識彼我虛實也。

王皙：凡自守以實，攻敵以虛也。

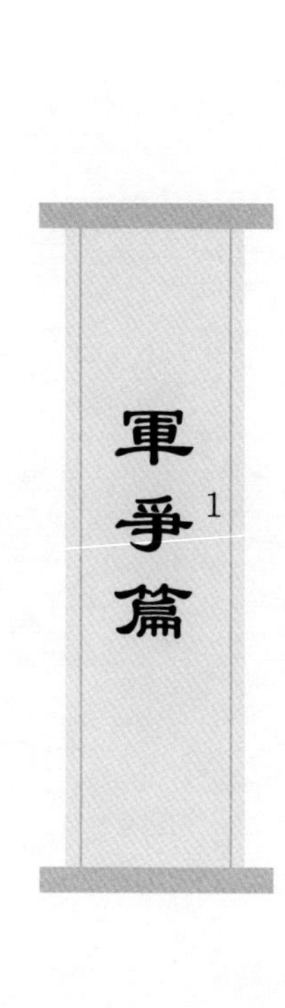

軍爭篇[1]

孫子曰：凡用兵之法，將受命於君，合軍聚眾[2]，交和而舍[3]，莫難於軍爭。軍爭之難者，以迂為直[4]，以患為利[5]。故迂其途而誘之以利，後人發，先人至，此知迂直之計者也。故軍爭為利，軍爭為危。舉軍[6]而爭利，則不及，委軍[7]而爭利，則輜重[8]捐。是故捲甲而趨[9]，日夜不處[10]，倍道兼行，百里而爭利，則擒三將軍[11]，勁者先，疲者後，其法十一而至。五十里而爭利，則蹷上將軍[12]，其法半至。三十里而爭利，則三分之二至。是故軍無輜重則亡，無糧食則亡，無委積[13]則亡。

注釋

1. 軍爭：兩軍爭奪克敵制勝的有利條件。
2. 合軍聚眾：合，聚集，集合。徵召民眾，組織軍隊。
3. 交和而舍：和，軍營的正門；舍，紮營住宿。指兩軍對壘。
4. 以迂為直：迂，迂曲；直，近直。把迂曲變成近直。
5. 以患為利：患，禍患，危險；利，便利，有利。把禍患變成有利。
6. 舉軍：舉，全。攜帶全部軍用物資。
7. 委軍：委，捨棄。捨棄軍用物資。
8. 輜重：器械、營帳、服裝等軍需物資的統稱。

9. 捲甲而趨：捲起鎧甲，疾速前進。

10. 處：停留。

11. 三將軍：古代軍隊分為上、中、下三軍，“三將軍”即指三軍的主帥。

12. 蹷上將軍：蹷，挫敗，失敗。上將軍，行軍作戰時統領軍隊的主帥。

13. 委積：物資儲備。

故不知諸侯之謀者，不能豫交[14]；不知山林、險阻、沮澤之形者，不能行軍，不用鄉導[15]者，不能得地利。故兵以詐立[16]，以利動[17]，以分合為變者也。故其疾如風，其徐如林[18]，侵掠如火[19]，不動如山，難知如陰[20]，動如雷震，掠鄉分眾[21]，廓地分利[22]，懸權而動[23]。先知迂直之計者勝，此軍爭之法也。

注釋

14. 豫交：《九變篇》作“預交”，預先結交。

15. 鄉導：“鄉”通“嚮”，“鄉導”即“嚮導”，領路的人。

16. 兵以詐立：立，存在，生存，這裡指取勝。用兵打仗依靠詭詐來取勝。

17. 以利動：因為利益而行動。

18. 其徐如林：徐，緩慢。指隊伍緩行時行列整齊有如林木。

19. 侵掠如火：侵掠敵國，如烈火燎原。

20. 難知如陰：難被察知，如陰雲蔽日。

21. 掠鄉分眾：掠抄敵國鄉邑的財物時分兵數路。

22. 廓地分利：廓，擴大，開拓。開疆拓境，則分兵守衛既得之利。

23. 懸權而動：權，秤錘，這裡指稱量，權衡。權衡利弊得失之後再採取行動。

《軍政》[24]曰："言不相聞，故為金鼓[25]；視不相見，故為旌旗。"夫金鼓旌旗者，所以一人之耳目[26]也；人既專一，則勇者不得獨進，怯者不得獨退，此用眾之法也。故夜戰多火鼓[27]，晝戰多旌旗，所以變[28]人之耳目也。

注釋

24.《軍政》：古代的兵書，已佚。

25. 金鼓：鉦、鐃、鼖鼓之類，古代軍事行動中發號施令的信號工具，所謂擂鼓進軍，鳴金收兵。《周禮．地官．鼓人》記載有"四金六鼓"，"四金"即金錞、金鐲、金鐃、金鐸，"六鼓"指雷鼓、靈鼓、路鼓、鼖鼓、鼛鼓、晉鼓。

26. 一人之耳目：一，統一；耳目，這裡指軍隊的行動。統一軍隊的行動使之步調一致。

27. 火鼓：火光與金鼓，這是在夜戰中發號施令的視聽聯絡工具。

28. 變：通“便”，便利。

故三軍可奪氣[29]，將軍可奪心[30]。是故朝氣銳，晝氣惰，暮氣歸[31]；故善用兵者，避其銳氣，擊其惰歸，此治氣者[32]也。以治待亂，以靜待譁[33]，此治心者[34]也。以近待遠，以佚待勞，以飽待飢，此治力者[35]也。無邀正正之旗[36]，勿擊堂堂之陳[37]，此治變者[38]也。

注釋

29. 三軍可奪氣：奪，使喪失；氣，銳勇之氣。可以使三軍將士喪失銳勇的士氣。

30. 將軍可奪心：心，意念，決心。可以使將軍的意志動搖、決心喪失。

31. 朝氣銳，晝氣惰，暮氣歸：朝、晝、暮，分別比喻戰鬥的開始、中間及最後。初戰時的士氣銳勇，一段時間之後士氣惰怠，到最後則士有歸心。

32. 治氣者：治，掌握，處理。掌握處理軍隊士氣的辦法。

33. 以靜待譁：譁同“嘩”，喧嘩，騷動不安。用清靜鎮定對付喧嘩之敵。

34. 治心者：掌握和處理軍隊心理的方法。

35. 治力者：掌握和處理軍隊戰鬥力的方法。

36. 無邀正正之旗：邀，迎候，攔截；正正，整齊。不要攔截旗幟整齊的軍隊。

37. 堂堂之陳：堂堂，盛大的樣子；陳，同"陣"。不要攻擊陣形強大的軍隊。

38. 治變者：應對機變的方法。

故用兵之法，高陵勿向[39]，背丘勿逆[40]，佯北勿從[41]，銳卒勿攻，餌兵[42]勿食，歸師勿遏[43]，圍師必闕[44]，窮寇[45]勿迫。此用兵之法也。

注釋

39. 高陵勿向：敵人佔據高地時，不可仰攻。

40. 背丘勿逆：敵人背附丘陵時，不可迎擊。

41. 佯北勿從：北，敗北。敵人佯裝失敗時不可追趕。

42. 餌兵勿食：敵人的誘兵不要理睬。

43. 歸師勿遏：遏，阻攔。敵人的軍隊在撤退回國時不要阻攔。

44. 圍師必闕：闕，豁口，空隙。包圍敵人的軍隊一定要留下空隙。

45. 窮寇：已陷入窮途末路的敵寇。

串講

孫子說：大凡統兵作戰的法則，將帥接受國君的命令，從徵召民眾，組織隊伍，到兩軍對壘，其間沒有比爭奪克敵制勝的有利條件更難的了。軍隊爭取克敵制勝的難處，是把迂曲變成近直，把禍患變成有利。所以用利益來引誘敵人使之繞道而行，從而使自己的軍隊晚於敵人出發而比敵人早先到達，這就是通曉迂曲近直之計的做法。

所以爭奪制勝先機有有利的一面，也有危險的一面。如果攜帶全部的軍用物資去爭奪克敵制勝的先機，就不能按時到達預定地點；如果捨棄軍用物資輕軍爭利，軍用物資就會遭到損失。如果捲起鎧甲疾速前進，日夜不停，連續趕路，奔赴一百里去爭利，那麼三軍主帥都可能成為敵人的俘虜。強壯有力的兵士先到，疲備老弱的落後，這樣做的結果是只有十分之一的兵力能夠到達目的地。奔赴五十里去爭利，就會讓軍隊的統帥遭受挫折，這種做法的結果是只能有一半的兵力到達目的地。奔赴三十里去爭利，則只有三分之二的兵力能夠到達目的地。軍隊如果沒有輜重就會滅亡，沒有糧食就會滅亡，沒有儲備就會滅亡。

所以不了解諸侯列國的謀劃，就不能事先與之結交；不了解山林、險阻、河湖沼澤等地形，就不能行軍；不使用嚮導，就不能利用地形之利。用兵打仗依靠詭詐來取勝，根據利益之大小來決定行動，依靠兵力的分散集中來應對各種變化。所以軍隊行動迅速時要像疾風，行動緩慢時要像樹林，侵掠敵國如同烈火燎原，按兵不動如同山岳屹立，難被察知如同陰雲蔽日，衝鋒陷陣如同雷霆萬鈞，擄掠鄉邑要兵分數路，開疆拓境要分兵守利。權衡利弊得失之後再採取行動，先了解迂曲近直之計謀的一方獲勝。這就是兩軍對壘時爭奪制勝先機的方法。

漢・駐軍圖

《軍政》說，在戰場上說話聽不到，所以設立金鼓之制；彼此看不見，所以設立旌旗之制。金鼓與旌旗，是用來統一軍隊視聽使之行動一致的工具。軍隊的行動被統一之後，那麼勇敢的人就不能獨自前進，怯懦的人也不能獨自避退，這就是指揮三軍將士的方法。所以夜戰時指揮多用火光與金鼓，白天打仗則多用旌旗，這樣做就是為了方便軍隊視聽。

使敵人的三軍將士喪失銳勇的士氣，要使敵人的將帥意志動搖、決心喪失。由於軍隊初戰時士氣銳勇高昂，一段時間之後士氣就會懈怠，到了最後則軍士有思歸之心，所以善於指揮作戰的人，能夠避開敵人的銳氣，而在敵人士氣懈怠、兵士思歸的時候發動襲擊，這是掌控軍隊士氣的辦法。用整治來應對混亂，用鎮定安靜應對喧嘩，這是掌控軍心的方法。用近直來應對迂遠，用安逸來應對勞頓，用飽食之軍來對待飢餓之敵，這是掌控軍隊戰鬥力的方法。不要攔截旗幟整齊的軍隊，不要襲擊陣容強大的軍隊，這是應對機變的方法。

所以用兵打仗的原則是：敵人佔據高地時，不可仰攻；敵人背附丘陵時，不可迎擊。敵人佯裝失敗時不要追趕，敵人的精銳部隊不要攻擊，敵人的誘兵不要理睬，敵人的軍隊在撤退回國時不要阻攔，包圍敵人的軍隊時一定要留下空隙，不要逼迫已陷入窮途末路的敵寇。這就是用兵打仗的原則。

評析

掌握戰爭的主動權，靈活機動地打擊敵人，這是孫子軍事思想的核心內容之一，《計篇》、《謀攻篇》、《形篇》、《勢篇》、《虛實篇》都從不同的側面對此有直接的論述。本篇則由"軍爭"，即兩軍爭奪制勝條件入手，討論了如何掌握主動權，取得有利作戰地位的問題。孫子認為，在作戰過程中，最重要也最困難的事情就是軍爭，而軍爭之所以困難，在於要懂得"以迂為直，以患為利"的道理。在這裡，孫子提出了"知迂直之計"這一作戰指揮原則，"迂其途而誘之以利，後人發，先人至，此知迂直之計者也"。由此可以看出，"迂直之計"的實質，仍然是以詭詐的手段來誘騙敵人，化不利因素為有利條件，從而取得戰爭的主動權，最終奪取戰爭的勝利。所以，在論述"迂直之計"時，孫子對戰爭特點的認識以及他的用兵方法都進行了更為概括和完整的表述，"兵以詐立，以利動，以分合為變者也"。

軍爭是為了爭利，但是如果盲目爭利，則可能導致損兵折將的後果，這就是孫子所說的"軍爭為危"。他比較集中地討論了"委軍而爭利"的危害性："委軍而爭利，則輜重捐"，"軍無輜重則亡，無糧食則亡，無委積則亡"，強調了輜重對於軍隊至關重要的作用。在此基礎上他進一步論述了正確的"軍爭之法”：知諸侯之謀，知山川之形，知嚮導之用，軍隊服從指揮，懸權而動。這就是說，只有準確地把握形勢，了解敵情，恰當地指揮軍隊，保持軍事行動的主動性，權衡利弊，相機而動，才能化解迂與直、利與患、後發與先至之間的矛盾，實現“軍爭為利”的目的。

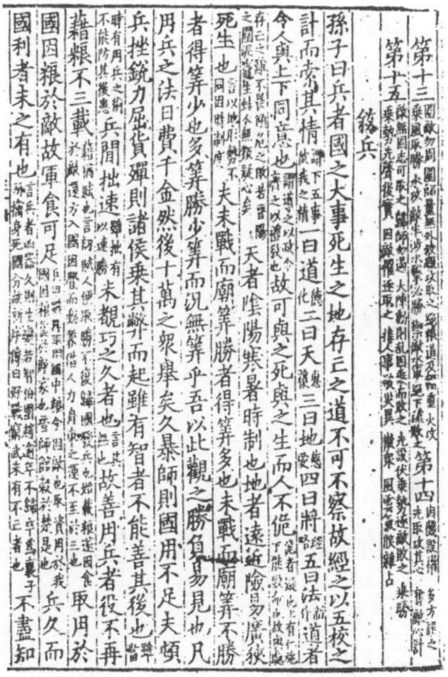

宋本《通典》引《孫子兵法》

軍爭發生在戰爭實施的具體過程中，軍隊本身的行動能力直接關係到軍爭的勝負。因此，孫子十分重視軍隊行動的統一性問題，除了明確提出“其疾如風，其徐如林，侵掠如火，不動如山，難知如陰，動如雷震”的行動要求之外，還討論了利用信號工具統一視聽的問題：“夫金鼓旌旗者，所以一人之耳目也；人既專一，則勇者不得獨進，怯者不得獨退，此用眾之法也。”對於戰爭的指揮者而言，信息是否暢通是制約戰局發展的重要因素，尤其在信息戰越來越成為戰爭主要形態的今天，準確快速的信息傳遞已成為決定戰爭勝負的重要因素。兩千多年前孫子對於信號工具的重視，在當今社會仍然具有現實的啟示意義。

在春秋早期，人們就已十分重視“心”、“氣”等精神因素對軍隊戰鬥力的影響。如魯莊公十年，即公元前684年，齊國入侵魯國，發生長勺之戰，魯國在齊人三鼓之後始擊鼓反擊，於是打敗了齊軍。魯人曹劌在總結勝利原因時，明確把“勇氣”與軍隊的戰鬥力聯繫起來，提出了有名的“一鼓作氣，再而衰，三而竭”的作戰理論。到孫子這裡，他對軍隊不同的精神狀態及體能條件與軍隊戰鬥力之間關係的認識更為系統，由此提出了“四治”的作戰指揮原則：“避其銳氣，擊其惰歸”的“治氣”，“以治待亂，以靜待譁”的“治心”，“以近待遠，以佚待勞，以飽待飢”的“治力”以及“無邀正正之旗，勿擊堂堂之陳”的“治變”。這種以人的心理規律為基礎的作戰理論，至今仍有普遍的指導意義。

名家論析

曹操：兩軍相爭。

李筌：爭者，趨利也。虛實定，乃可與人爭利。

王晳：爭者，爭利；得利則勝。宜先審輕重，計迂直，不可使敵乘我勢也。

九變篇[1]

孫子曰：凡用兵之法，將受命於君，合軍聚眾，圮地無舍[2]，衢地合交[3]，絕地無留[4]，圍地則謀[5]，死地則戰[6]。途有所不由[7]，軍有所不擊[8]，城有所不攻，地有所不爭，君命有所不受[9]。故將通[10]於九變之利者，知用兵矣。將不通於九變之利者，雖知地形，不能得地之利矣。治兵不知九變之術，雖知五利[11]，不能得人之用[12]矣。

注釋

1. 九變：由文中“不通於九變之利者，雖知地形，不能得地之利矣”句來看，所謂“九變”，應是指《九地篇》所謂的“散地、輕地、爭地”等“九地之變”。“九”為虛數，所謂“九變”，即指根據不同的地形條件採取靈活多變的應對措施。
2. 圮地無舍：圮，毀壞，坍塌；圮地，指難以通行的地方。在已經毀壞、難以通行的地方不要紮營住宿。
3. 衢地合交：衢地，指四通八達、與諸侯國相毗鄰的地區。在與諸侯毗鄰的四通八達之地要結交鄰國以求多助。
4. 絕地無留：據《九地篇》“去國越境而師者，絕地也”，知“絕地”應指與本國隔絕的地區。在遠離本國、與之隔絕的地區不要停留。
5. 圍地則謀：圍地，進退不便、易被包圍的地區。在進退不便、易被包圍的地區要巧施計謀。

6. 死地則戰：死地，進退無路、非力戰不能求生的地方。在進退無路的地方則拚死一戰。

7. 途有所不由：途，道路；由，由經，通過。有的道路不應該走。

8. 軍有所不擊：有的軍隊不應該攻擊。

9. 君命有所不受：國君的命令有的不能接受。

10. 通：通曉。

11. 五利：即前所云“途有所不由，軍有所不擊，城有所不攻，地有所不爭，君命有所不受”五事之利。

12. 人之用：指軍隊的戰鬥力。

是故智者之慮，必雜於利害[13]。雜於利，而務可信[14]也，雜於害，而患可解[15]也。是故屈諸侯者以害[16]，役諸侯者以業[17]，趨諸侯者以利[18]。故用兵之法，無恃其不來，恃吾有以待[19]也；無恃其不攻，恃吾有所不可攻[20]也。

注釋

13. 雜於利害：雜，混合，兼顧。兼顧到了利與害兩個方面。

14. 務可信：務，任務；信，通“伸”，伸張。作戰任務能夠完成。

15. 患可解：解，解除，消除。禍患可以解除。

16. 屈諸侯者以害：屈，使屈服，制服。用危害的手段使諸侯屈服。
17. 役諸侯者以業：役，驅使；業，危險，這裡指讓諸侯感到危險的舉動。用讓諸侯感到危險的事情驅使他，使之不得安寧。
18. 趨諸侯者以利：趨，使趨向，使奔向，引申為使歸附。用利益使諸侯歸附。
19. 恃吾有以待：恃，依靠，依賴；有以待，有所準備。依靠自己有充分的準備。
20. 有所不可攻：具備敵人不能進攻的實力。

故將有五危：必死，可殺也[21]；必生，可虜也[22]；忿速，可侮也[23]；廉潔，可辱也[24]；愛民，可煩也[25]。凡此五危，將之過也，用兵之災也。覆軍殺將[26]，必以五危，不可不察也。

注釋

21. 必死，可殺也：一味死拚就可能被殺害。
22. 必生，可虜也：一味求生就可能被俘虜。
23. 忿速，可侮也：忿速，暴躁易怒。暴躁易怒就可能因受輕侮而中計。
24. 廉潔，可辱也：廉潔，潔身自愛。潔身自愛就可能因受污辱而中計。

25. 愛民，可煩也：煩，煩擾被動。愛護民眾就可能使軍隊陷入被動煩擾之境。

26. 覆軍殺將：軍隊覆滅，將帥被殺。

串講

孫子說：大凡統兵作戰的法則是，將帥接受國君的命令，徵召民眾，組織隊伍，要知道在已經毀壞、難以通行的地方不要紮營住宿，在與諸侯毗鄰的四通八達之地要結交鄰國以求多助，在遠離本國、與之隔絕的地區不要停留，在進退不便、易被包圍的地區要巧施計謀，在進退無路的地方則要拚死一戰。有的道路不要走，有的敵軍不要攻擊，有的城邑不要攻打，有的地域不要爭奪，國君的命令有的不能接受。所以，將帥精通種種機變的靈活應對措施，就是懂得用兵打仗了。將帥不能通曉應對各種機變的方法，即使了解地形，也不能得地利。統率軍隊不精通種種機變的應對措施，即使懂得“途有所不由”等五事之利，也不能充分發揮軍隊的戰鬥力。

所以聰明的將帥思考問題時，必然兼顧到利與害兩個方面。兼顧到了有利的方面，則作戰任務能夠順利完成；兼顧到

明 ·《平蕃得勝圖》卷（局部）

了不利的一面，則可以消禍於無形。所以用危害的手段使諸侯屈服，用讓諸侯感到危險的舉動來驅使諸侯，用利益使諸侯歸附。所以，用兵打仗的規則，不要寄希望於敵軍不會來，要依靠自己做好了充分的準備；不要寄希望於敵軍不攻擊，要依靠自己具備敵人不敢進攻的實力。

宋本《太平御覽》引《孫子兵法》

將領有五種可能致命的危險：一味死拚就可能被殺害，一味求生就可能被俘虜，暴躁易怒就可能因受輕侮而中計，潔身自愛就可能因被污辱而中計，愛護民眾則可能使軍隊陷入被動煩擾之境。這五種危險，是將帥的過錯，更是用兵打仗的災難。軍隊覆沒，將帥被殺，必然導因於這五種危險，這是不能不認真考察的。

評析

本篇着重論述了將帥在遭遇特殊情況時妥善處理各種危機情況的問題。孫子強調了靈活應變的重要作用，指出將帥只有掌握了靈活應對各種機變的措施，才是真正懂得了用兵打仗，否則即使做到了"知地形"，"知五利"，仍然不能"得地之利"，不能"得人之用"。

孫子所說的“五利”，就是指“途有所不由，軍有所不擊，城有所不攻，地有所不爭，君命有所不受”五件事的好處。這五個“有所不”，只是為防止將帥在實施作戰任務的過程中，由於僵守戒律、不知變通而招致失敗才特意提出來的，因此，它們必須是在有利於國、有利於君、有利於奪取戰爭勝利的前提下才能實行的。《地形篇》中有這樣一段話，“戰道必勝，主曰無戰，必戰可也。戰道不勝，主曰必戰，無戰可也。故進不求名，退不避罪，唯民是保，而利合於主，國之寶也”，可以看作是對“君命有所不受”的最好注解。

孫子之所以提出五個“有所不”，最終是為了有更大的作為，這是一種立足於全局的戰略考慮。“智者之慮，必雜於利害”，只有以全局的眼光全面地看待問題，才能在利與害的取捨中做出有利於戰局發展的正確選擇，才能真正地做到趨利避害，防患於未然。以此為基礎，他還提出了“無恃其不來，恃吾有以待也；無恃其不攻，恃吾有所不可攻也”的備戰思想，強調把國家的安全建立在強有力的軍事實力的基礎上，這無疑是一種極具現代意義的軍事思想。

名家論析

曹操：變其正，得其所用九也。

王晳：晳謂九者數之極，用兵之法，當極其變耳。詩云：“九變復貫。”不知曹公謂何為九。或曰，地之變也。

張預：變者，不拘常法，臨事適變，從宜而行之謂也。凡與人爭利，必知九地之變，故次軍爭。

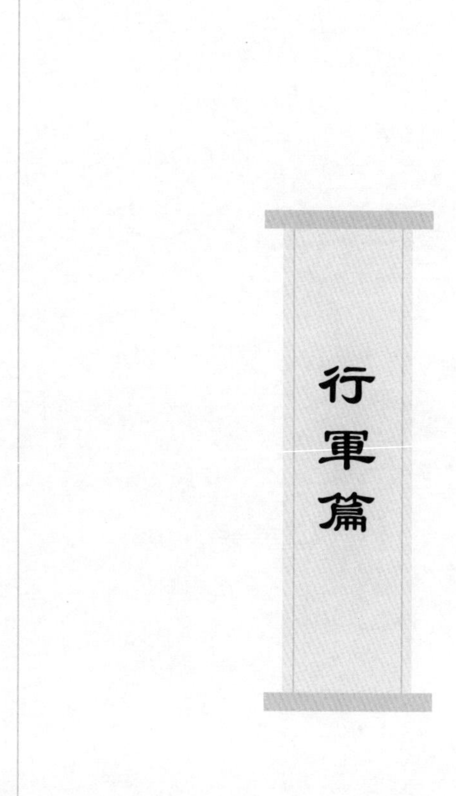

行軍篇

孫子曰：凡處軍[1]、相敵[2]，絕山依谷[3]，視生處高[4]，戰隆無登[5]，此處山之軍也。絕水必遠水[6]；客[7]絕水而來，勿迎之於水內[8]，令半濟而擊之，利；欲戰者，無附於水而迎客[9]；視生處高，無迎水流[10]，此處水上之軍也。絕斥澤[11]，惟亟去[12]勿留。若交軍於斥澤之中，必依水草而背眾樹，此處斥澤之軍也。平陸處易[13]，而右背高[14]，前死後生[15]，此處平陸之軍也。凡此四軍之利，黃帝[16]之所以勝四帝[17]也。

注釋

1. 處軍：處，處置，安頓。安排軍隊行軍、駐紮等問題。
2. 相敵：相，觀察，審視。察看敵情。
3. 絕山依谷：絕，橫穿，橫渡；依，依傍，靠着。穿越山地時要依傍谿谷。
4. 視生處高：向陽為生。軍隊要駐紮在朝陽的高地上。
5. 戰隆無登：隆，高地；登，攀登。與高地上的敵人作戰不能仰攻。
6. 遠水：駐紮在離水道較遠的地方。
7. 客：外來的人，這裡指敵軍。
8. 水內：河流之中。
9. 附於水而迎客：附，近。在近水之地與敵交戰。
10. 無迎水流：即不要面迎水流駐紮在河水的下游。

11. 斥澤：鹽鹹沼澤地。

12. 亟去：急速離去。

13. 易：平坦之地。

14. 右背高：右，古人尚右，這裡指軍隊的主要側翼。以軍隊的主要側翼背附高地。

15. 前死後生：古人常以“生”、“死”言地形之高下，高地為生，低地為死。“前死後生”即“前低後高”，背附高地而面對平坦之地。

16. 黃帝：傳說中的古帝名，居軒轅之丘，號稱軒轅氏，國於有熊，又稱有熊氏。據稱軒轅氏有土德之瑞，土色黃，故稱黃帝。傳說黃帝曾敗炎帝於坂泉，殺蚩尤於涿鹿，並北逐獯鬻，統一了黃河流域，成為中原各族的共同祖先。

17. 四帝：自五行學說興起以來，中國古代帝系中傳說的五帝逐漸形成了與五方、五色相配的系統，除中央黃帝之外，有東方青帝太皞、南方赤帝炎帝、西方白帝少皞、北方黑帝顓頊。

凡軍好高而惡下，貴陽而賤陰，養生[18]而處實[19]，軍無百疾，是謂必勝。丘陵隄防，必處其陽，而右背之，此兵之利，地之助也。上雨[20]，水沫[21]至，欲涉[22]者，待其定也。凡地有絕澗[23]，遇天井[24]、天牢[25]、天羅[26]、天陷[27]、天隙[28]，必亟去之，勿近也；吾遠之，敵近之；吾迎之，敵背之。軍旁[29]有險阻、潢井[30]，葭葦[31]、小林[32]、蘙薈[33]者，必謹覆索[34]之，此伏奸之所也。

注釋

18. 養生：休養生息。
19. 處實：駐紮在物資供應豐實之地。
20. 上雨：上游下雨。
21. 水沫：指洪水。
22. 涉：渡河。
23. 絕澗：指山高水大之地，即下文所列天井、天牢、天羅、天陷、天隙等多種地形。
24. 天井：四方高峻、中央低下之地為天井。
25. 天牢：沼澤水深且水草茂盛之地為天牢。
26. 天羅：草木茂盛，將人羅陷其中之地為天羅。
27. 天陷：地面低窪，泥濘易陷之地為天陷。
28. 天隙：道路狹窄如隙之地為天隙。
29. 軍旁：軍營旁邊。
30. 潢井：潢，指積水池。
31. 葭葦：葭，初生的蘆葦；葦，蘆葦。這裡泛指水草。
32. 小林：一作“山林”。
33. 蘙薈：草木叢生可遮蔽之處。
34. 覆索：反覆搜索。

敵近而靜者，恃其險也；遠而挑戰者，欲人之進也。其所居易[35]者，利也。眾樹動者，來也；眾草多障者，疑[36]也。鳥起者，伏[37]也；獸駭者，覆[38]也。塵高而銳[39]者，車來也；卑而廣[40]者，徒來也；散而條達[41]者，樵採[42]也；少而往來者，營軍[43]也。辭卑而益備[44]者，進也；辭強而進驅[45]者，退也。輕車[46]先出，居其側者，陳[47]也；無約而請和[48]者，謀[49]也；奔走而陳兵者，期[50]也；半進半退者，誘也。仗而立[51]者，飢也；汲而先飲者，渴也；見利而不進者，勞也。鳥集者，虛[52]也；夜呼者，恐也；軍擾者，將不重[53]也；旌旗動者，亂也；吏怒[54]者，倦也。粟馬肉食，軍無懸甀，不返其舍[55]者，窮寇[56]也。諄諄翕翕[57]，徐與人言[58]者，失眾也；數賞者，窘也；數罰者，困也；先暴而後畏其眾者，不精[59]之至也。來委謝[60]者，欲休息也。兵怒而相迎，久而不合[61]，又不相去，必謹察之。

注釋

35. 居易：軍處平坦之地。
36. 疑：製造假象使人心疑。
37. 伏：伏兵。
38. 覆：傾覆，覆滅；這裡指大軍來犯。
39. 塵高而銳：指揚起的塵土高而銳直。
40. 卑而廣：指揚起的塵土低而廣。
41. 散而條達：塵土疏散而條縷分明。
42. 樵採：曳柴的樵夫經過。
43. 營軍：紮營駐軍時構築營壘。
44. 辭卑而益備：言辭謙卑卻又增加戰備。
45. 辭強而進驅：言辭強硬而且顯示出進驅之形。
46. 輕車：輕型戰車，即《作戰篇》所言“馳車”。
47. 陳：同“陣”，佈陣。
48. 無約而請和：不締結質盟之約而請求和解。
49. 謀：圖謀。
50. 期：約期。
51. 仗而立：仗，兵器的總稱。倚着兵器站立。
52. 虛：空虛，指軍營空無一人。
53. 軍擾者，將不重：軍營紛擾混亂，是因為將帥沒有威嚴。
54. 吏怒：軍吏躁怒。
55. 粟馬肉食，軍無懸甀，不返其舍：粟，泛指糧食。甀，古代汲水用的一種尖底瓦器，考古發現中亦稱之為“尖底瓶”。因底尖無法平置，以繩懸掛，故稱“懸甀”。用糧食餵馬，殺牲口喫肉，軍中沒有懸甀，將士不回營舍。

56. 窮寇：陷入絕境的敵人。

57. 諄諄翕翕：懇切和順的樣子。

58. 徐與人言：輕聲細語地與人說話。

59. 不精：不精明。

60. 委謝：委質謝罪。古人拜見尊長時多需送禮，稱“委贄”或“委質”，後引申為臣服，歸順。

61. 不合：不交戰。

兵非貴益多[62]，惟無武進[63]，足以併力[64]、料敵[65]、取人[66]而已。夫惟無慮而易敵[67]者，必擒於人。卒未親附而罰之，則不服，不服，則難用也。卒已親附而罰不行，則不可用也。故合之以文[68]，齊之以武[69]，是謂必取。令素行[70]以教其民，則民服；令不素行以教其民，則民不服；令素行者，與眾相得[71]也。

注釋

62. 兵非貴益多：兵力並不崇尚越多越好。

63. 武進：恃武冒進。

64. 併力：集中兵力。

65. 料敵：預測敵情。

66. 取人：爭取人心。

67. 易敵：輕敵。

68. 合之以文：施以恩德使軍隊上下和洽。

69. 齊之以武：齊，齊肅，整齊；武，軍紀，刑威。嚴肅軍紀使軍隊步調整齊。

70. 令素行：素，平常，平素。法令平素得到貫徹執行。

71. 相得：關係融洽。

串講

孫子說：在安排軍隊行軍、駐紮以及觀察敵情時要知道：穿越山地時要依傍谿谷前行，軍隊要駐紮在朝陽的高地上，與高地上的敵人作戰不能仰攻。這是在山地上安置軍隊的原則。橫渡河流一定要駐紮在離水道較遠的地方，敵軍渡水而攻，不要在河流之中迎擊他，要讓敵人渡過一半時出擊，這才有利；如想與敵交戰，不要在近水之地列陣迎擊敵人；要駐紮在朝陽的高地上，不要面迎水流駐紮在河流的下游。這是在江河地段安置軍隊的原則。橫穿鹽鹹沼澤地，要急速離去，不能停留；如果兩軍在沼澤地中相遇，一定要駐紮在靠近水草、背依樹林的地方。這是在鹽鹹沼澤地中安置軍隊的原則。在平原上要駐紮在平坦的地方，以主要側翼背托高地，要背附高地而面對平川。這是在平原上安置軍隊的原則。這四種安置軍隊的原則的好處，就是黃帝之所以能戰勝四方之帝的原因。

大凡軍隊駐紮總是喜歡選擇高地而不喜歡低窪之地，重視朝陽之地而避開背陰之地。駐紮在物資供應豐實之地以休養生息，軍中百病不生，這是必勝的條件。遇到丘陵隄防，一定要佔據其朝陽之地，並且以主要側翼背附它。這是有利於軍隊的措施，是地形所提供的便利條件。上游下雨，洪水到來，要停止涉水渡河，等待洪水過去。大凡地形有山高水大的，遇到天井、天牢、天羅、天陷、天隙等地形，一定要迅速離開，不要靠近。我們遠離這種地形，讓敵人靠近它；我們面對這種地形，讓敵人背靠它。軍營旁邊如果有險阻、湖沼，且水草叢生、樹木繁茂的地方，一定要小心謹慎地反覆搜索，這是容易藏匿奸細的地方。

敵人距離很近而安靜的，是依賴其所佔據的險要地形；敵人距離很遠而前來挑戰的，是想誘人前進；敵人處軍於平坦之地的，是因為有便利之處。許多樹木搖動，是有敵隱蔽前來；草叢中設置了許多障礙，是製造假象使人心疑；鳥兒受驚飛起，是樹下面有伏兵；野獸受駭奔走，是有大軍來犯。塵土高揚而銳直，是有戰車奔馳而來；塵土揚起不高但範圍很廣，是步兵到來；塵土疏散而條縷分明，是曳柴的樵夫在勞作；塵土少而時起時落，是敵人在構築營壘。言辭謙卑卻又增加戰備，是要準備進攻；言辭強硬而且表示出進驅姿態，是要準備撤退。輕車率先出動，並被安置在兩側，是在佈陣；不締結質盟之約而請求和解，是要有所圖謀；往來奔走並陳兵列陣，是在約期準備決戰；在戰鬥中半進半退，是誘兵之計。倚着兵器站立，是飢餓的表現；打到水自己先喝，是乾渴的表現；看見利益而不進取爭奪，是勞累的表現。群鳥聚集，是敵人虛設空營；夜間驚叫，是由於慌恐；軍營紛擾混亂，是由於將帥沒有威嚴；旌旗搖動，是由於混亂；軍吏躁怒，是由於疲倦。用糧食餵馬，殺牲口喫肉，軍中沒有懸甀，將士不回營舍，是敵人陷入了絕境。懇切和順、輕聲細語地與人說話，是將帥失去了軍心；多次犒賞士卒，是窘迫沒有辦法；多次體罰部屬，是由於處境困難；開始強硬暴躁到後來又害怕其部屬，是不精明到了極致。前來委質謝罪表示臣服，是想休兵息戰；兵士逞怒而迎戰，但遲遲不肯交鋒，又不撤離，一定要謹慎認真地考察它的意圖。

清·《多鐸入南京圖》

軍隊並不崇尚兵力越多越好，只要不恃武冒進，並且能夠集中兵力、預測敵情、取得人心就足夠了。那些既沒有謀略又輕視敵人的人，一定會被敵人俘虜。士卒還沒有親近依附於自己就體罰他們，就會讓他們不服從命令，不服從命令就很難任用。士卒已經親近依附於己而不執行軍紀刑罰，就不能任用。所以一方面要施以恩德使軍隊上下和諧融洽，另一方面要嚴肅軍紀使部隊步調整齊，這樣做就一定能夠獲得部下的擁戴。平素法令能夠得到貫徹執行，並以此教導民眾，民眾就會服從法令；平素法令不能得到執行並以此教導民眾，民眾就會不服從法令。法令平素得到貫徹執行，與其部屬就能融洽相處。

評析

本篇討論的中心問題是如何在行軍作戰過程中根據不同的地形條件立營佈陣、偵察敵情。

孫子認為，處軍的關鍵在於了解地形，必須讓自己的軍隊駐紮在利於作戰、便於生活的高陽之地。他依次列舉了在山地、江河、鹽鹹沼澤地以及平原等四種最基本的地形條件下各自不同的處軍原則與方法，同時也針對一些比較特殊的地理、地貌條件提出了特殊的處理辦法，如遇洪水，要止涉，“待其定”，遇絕澗，如天井、天牢等，“必亟去之，勿近也”，如軍營旁地形複雜，草木叢生，“必謹覆索之”等。在這裡，孫子提出了一條具有普遍意義的處軍原則：“凡軍好高而惡下，貴陽而賤陰，養生而處實，軍無百疾，是謂必勝。”重視地形因素對戰爭的影響，這是孫子軍事思想的一個重要特點，他充分認識到了戰爭對於地形條件的依賴性，認識到了地理環境對戰爭的制約作用，但是，他並沒有把地形條件看成決定戰爭勝負的基本條件。從本篇提出的“兵之利，地之助”以及《地形篇》中的“地形者，兵之助也”，都明確地表達了地形在戰爭中只能起到輔助作用的思想。出現於《九變篇》的“將不通於九變之利者，雖知地形，不能得地之利矣”的觀點，非常有代表性地表達了孫子對戰爭中人的主觀因素與客觀的地理條件之間關係的辯證態度。儘管孫子針對各種地形所提出的具體的處軍措施已不符合現代戰爭的要求，但是他對地形因素的基本態度，仍然適合於新條件下的新型戰爭。

在論述了如何處軍的基本原則之後，孫子用較多的篇幅討論了如何“相敵”的問題，這就是他不厭其煩所臚舉的三十二種表象及其所對應的真實情況。從孫子所列舉的現象來看，這些判斷敵情的方法，無一不是對當時實際作戰經驗的總結。以今人的眼光來看，這些從使用盾甲矛箭的古老車戰中總結出來的戰爭經驗，早已隨着戰爭形態的消逝而過時，但是，從方法論的意義上來說，其中所蘊含的透過事物表象來分析其本質真實的思維方式，至今仍具有普遍的意義。

有一個關於韓信用兵多多益善的故事在民間流傳很廣，但是比韓信早過兩三百年的孫子，卻已提出了一個“兵非貴益多”的主張：“兵非貴益多，惟無武進，足以併力、料敵、取人而已。”他並不崇尚單純的倚多取勝，而是把“併力”、“料敵”、“取人”看作將帥用兵的三大基本法則，警告將帥用兵切忌“武進”，並進一步指出“惟無慮而易敵者，必擒於人”。這些主張，集中地反映了孫子軍事思想中“逐於智謀”的特點。

西夏文刻本《孫子兵法》

在本篇最後孫子還討論了如何治軍的問題，提出了“合之以文，齊之以武”、“令素行者，與眾相得”的治軍思想。這也是孫子軍事思想中具有豐富現代性，因而至今仍有積極意義的內容之一。

名家論析

曹操：擇便利而行也。

王皙：行軍當據地，便察敵情也。

張預：知九地之變，然後可以擇利而行軍，故次九變。

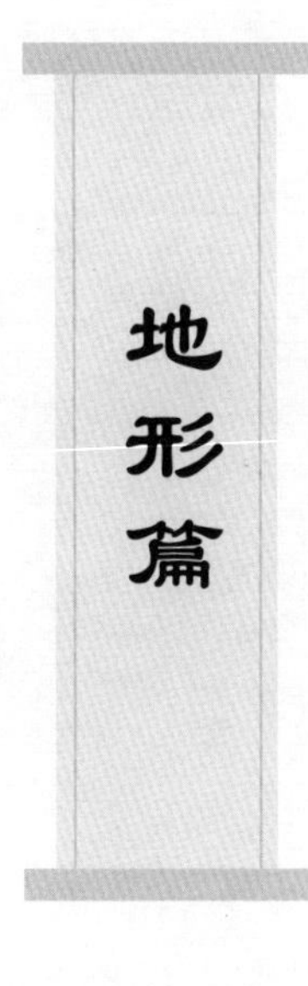

地形篇

孫子曰：地形，有通者[1]，有掛者[2]，有支者[3]，有隘者[4]，有險者[5]，有遠者[6]。我可以往，彼可以來，曰通。通形者，先居高陽[7]，利糧道，以戰，則利。可以往，難以返，曰掛。掛形者，敵無備，出而勝之，敵若有備，出而不勝，難以返，不利。我出而不利，彼出而不利，曰支。支形者，敵雖利我，我無出也；引而去之，令敵半出而擊之，利。隘形者，我先居之，必盈[8]之以待敵；若敵先居之，盈而勿從，不盈而從之。險形者，我先居之，必居高陽以待敵；若敵先居之，引而去之，勿從也。遠形者，勢均，難以挑戰，戰而不利。凡此六者，地之道[9]也，將之至任[10]，不可不察也。

注釋

1. 通者：通，通達。指四通八達之地。
2. 掛者：掛，掛礙，牽阻。指易入難出之地。
3. 支者：支，支撐，相持。指雙方均可據險對峙，但不易發動進攻之地。
4. 隘者：隘，狹窄。指狹窄險要的山道。
5. 險者：險，險峻。指高下懸殊的險峻之地。

6. 遠者：遠，遙遠。指距離遙遠之地。

7. 高陽：朝陽的高地。

8. 盈：盈滿，這裡指兵力充足。

9. 地之道：利用地形的基本原則。

10. 將之至任：將帥的重大責任。

故兵有走者[11]，有弛者[12]，有陷者[13]，有崩者[14]，有亂者[15]，有北者[16]；凡此六者，非天地之災，將之過也。夫勢均，以一擊十，曰走；卒強吏弱，曰弛；吏強卒弱，曰陷；大吏[17]怒而不服，遇敵懟[18]而自戰，將不知其能，曰崩；將弱不嚴，教道[19]不明，吏卒無常，陳兵縱橫，曰亂；將不能料敵，以少合眾，以弱擊強，兵無選鋒[20]，曰北。凡此六者，敗之道也，將之至任，不可不察也。

注釋

11. 兵有走者：兵，這裡指敗兵。走，古代指跑，奔跑，這裡指敗逃。

12. 弛者：弛，鬆馳，渙散。這裡指由於軍吏軟弱不能統率士卒而導致的部隊的鬆弛與渙散。

13. 陷者：陷，失陷。這裡指由於士卒戰鬥力弱而致使強吏陷於敗落。

14. 崩者：崩，崩潰，潰敗。指將吏不合而導致軍潰。

15. 亂者：指由於將帥懦弱、軍紀不明、佈陣失次而導致的混亂。

16. 北者：北，敗北。這裡指由於將帥指揮失誤而造成的失敗。

17. 大吏：裨將，小將。

18. 懟：怨恨。

19. 教道：治軍的法規、紀律。

20. 選鋒：精選的前鋒部隊。

夫地形者，兵之助也。料敵制勝[21]，計險阨、遠近，上將[22]之道也。知此而用戰者必勝，不知此而用戰者必敗。故戰道[23]必勝，主曰無戰，必戰可也。戰道不勝，主曰必戰，無戰可也。故進不求名，退不避罪，惟民是保，而利合於主，國之寶也。

注釋

21. 料敵制勝：準確分析敵情以贏得勝利。

22. 上將：最好的將帥。

23. 戰道：戰爭的規律。

視卒如嬰兒[24]，故可與之赴深谿[25]；視卒如愛子[26]，故可與之俱死。厚而不能使[27]，愛而不能令[28]，亂而不能治，譬如驕子[29]，不可用也。

注釋

24. 視卒如嬰兒：對待士卒就像愛護初生的嬰兒一樣。
25. 可與之赴深谿：可以追隨他奔赴各種危險的地帶。
26. 視卒如愛子：對待士卒就像對待自己心愛的兒子一樣。
27. 厚而不能使：厚待士卒而不能任用。
28. 愛而不能令：愛護士卒而不能教育。
29. 驕子：驕奢放縱的兒子。

知吾卒之可以擊，而不知敵之不可擊，勝之半也；知敵之可擊，而不知吾卒之不可以擊，勝之半也。知敵之可擊，知吾卒之可以擊，而不知地形之不可以戰，勝之半也。故知兵者，動而不迷[30]，舉而不窮[31]。故曰：知彼知己，勝乃不殆[32]；知天知地，勝乃可全。

注釋

30. 動而不迷：行動起來不會迷誤。

31. 舉而不窮：應對措施變化無窮。

32. 勝乃不殆：殆，危險。奪取勝利才不會有危險。

串講

孫子說：地形有通形，有掛形，有支形，有隘形，有險形，有遠形六種。我們可以前往，敵軍也可以到來的地形，叫做通形。在通達的地形上作戰，要先行佔據朝陽的高地，保障運糧能暢通無阻，在這樣的基礎上作戰，就會有利。可以前往，但難以返回的地形，叫做掛形。在有掛礙牽阻的地形上作戰，敵人若沒有防備，突然出兵可以戰勝它；敵人如果有了防備，出兵不能打勝仗，又難以返回，是很不利的。我軍出兵不利，敵軍出兵也不利的地形，叫做支形。在這種據險可以相持的支形上作戰，敵人即使用利益來引誘，我軍也不能出兵，應該引兵離開，等到敵人出來一半時再回兵攻擊，這才是有利的。在狹窄的山道地形上作戰，我軍應先佔據隘口，並以充足的兵力來把守。如果敵人先佔據了隘口，並設重兵把守，就不要去攻打他；如果沒有設重兵防守，就可以攻打。在險要的地形上作戰，我軍如果先佔據了險要地形，一定要控制至高點來防備敵人；如果敵人先行佔據了險要地形，就引兵離去，不要攻打。對於相距較遠的地形，雙方所據地勢條件均衡，不利於前往挑戰，如果勉強求戰就不利。以上所說的這六條，是利用地形作戰的基本原則，是將帥的重大責任，不能不認真考察。

軍事上的失敗有“敗走”、“廢弛”、“失陷”、“崩潰”、

“混亂”、“敗北”六種情況。這六種情況，不是由於惡劣的天氣或地形條件造成的，而是由於將帥的過失所導致。雙方所處地理形勢條件均衡，如果用一成的兵力去攻打十成的敵人，必然戰敗奔逃，這

宋朝戰船——走舸圖

就叫“敗走”；士卒強悍、軍吏懦弱而導致的失敗，叫“廢弛”；軍官強悍而士卒懦弱所導致的失敗，叫“失陷”；副將怨怒而不服從指揮，遭遇敵人後擅自出戰，主帥又不了解他們的能力，必然導致隊伍潰敗，這就叫“崩潰”。主將懦弱沒有威嚴，治軍的法規又混亂不明，官兵目無法紀，軍陣雜亂失次，必然導致作戰失敗，這叫“混亂”；主帥不能準確地分析敵情，導致以少擊眾、以弱擊強，又沒有精選的前鋒部隊，由此導致失敗，叫做“敗北”。上述六種情況，是導致失敗的根本原因，是將帥的重大責任，不能不認真考察。

地形是用兵打仗的輔助條件。準確分析敵情以贏得勝利，考察地形地勢的險阨遠近，這是最好的將帥必須懂得的道理。懂得這些道理然後去指揮打仗就一定能取得勝利，不懂得這些道理而去指揮打仗，就一定會失敗。所以根據戰爭的規律一定能取得勝利的，即使國君主張不打，堅持作戰是可以的。按照戰爭的規律不能取得勝利的，即使國君一定要打，堅持不打也是可以的。進兵不為求取名利，退兵不擔心因違命而獲罪，只求保全民眾，符合國君的根本利益，這樣的將帥，是國家最寶貴的財富。

對待士卒就像愛護初生的嬰兒，士卒就可以追隨他奔赴各種危險之地；對待士卒就像對待自己心愛的兒子，士卒就可以和他一起同生共死。厚待士卒卻不能任用，愛護士卒卻不能教育，士卒違規而不加懲治，那麼士卒就像驕奢放縱的兒子一樣，是不能用來打仗的。

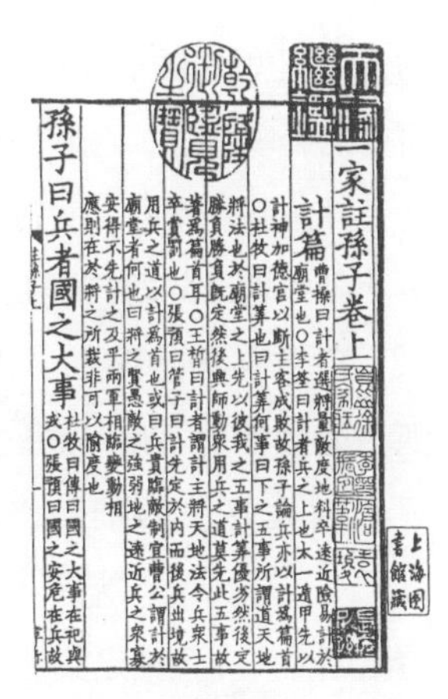
一家註孫子卷上
計篇 曹操曰計者選將量敵度地料卒遠近險易計於廟堂也○李筌曰計者兵之上也太一遁甲先以
計神加德宮以斷主客成敗故孫子論兵亦以計為篇首
○杜牧曰計算也曰計算何事曰下之五事所謂道天地
將法也於廟堂之上先以彼我之五事計算優劣然後定
勝負勝負既定然後興師動衆用兵之道莫先此五事故
著為篇首耳○王晳曰計者謂計主將天地法令兵衆士
卒賞罰也○張預曰管子曰計先定於內而後兵出境故
用兵之道以計為首也或曰兵貴臨敵制宜曹公謂計於
廟堂者何也曰將之賢愚敵之強弱地之遠近兵之衆寡
安得不先計之及乎兩軍相臨變動相
應則在於將之所裁非可以預度也
孫子曰兵者國之大事 杜牧曰傳曰國之大事在祀與戎○張預曰國之安危在兵故

宋本《十一家注孫子》

只了解自己的隊伍能打仗，卻不了解敵人不可被攻擊的地方，取勝的可能只有一半；了解敵人可以被攻擊的地方，卻不了解自己的軍隊不能進攻，取勝的可能也只有一半；了解敵人可以被攻擊的地方，也了解自己的軍隊能打仗，卻不知道地形條件不利於作戰，取勝的可能也只有一半。真正懂得用兵打仗的人，行動起來不會出現迷誤，應對各種意外情況的措施變化無窮。所以說：既了解敵人，也了解自己，奪取勝利才不會有危險；既懂得天時，又了解地利，勝利才可以保全。

評析

從地理學的角度來說，地形就是地面的形狀，如高山、平原、沼澤、河流等。如何在這些地形地貌條件下行軍作戰的問題，孫子已在《行軍篇》中專門討論過。在這篇題名為“地形”的文字中，孫子所討論的“六形”，與《行軍篇》側重地貌特徵的四種處軍之地不同，亦與《九地篇》側重戰區特徵的“九地”不同。這裡的“六形”，是從軍事戰略形勢的角度，按照攻守進退的方便程度而劃分出來的六種作戰地形。“九地”屬於地緣戰略研究的範疇，而“六形”則屬於軍事地形學研究的範疇。由這些從不同角度、不同層面對地形問題的反覆論述可知，孫子對於軍事活動中地形問題的研究已經達到了相當精深的境界。

孫子詳細論述了“六形”條件下利用地形作戰的基本原則，並且指出這是“將之至任，不可不察”。但是，地形畢竟只是用兵打仗的輔助條件，並非決定性因素。造成軍事上“走”、“弛”、“陷”、“崩”、“亂”、“北”六種失敗情況的原因，“非天地之災，將之過也”。也就是說，主將的才能、主將與副將的協調性以及士卒的綜合素質等才是爭取勝利的主導因素。因此，孫子認為一個優秀將領不但應該具備“料敵制勝，計險阨、遠近”的軍事指揮才能，同時也應該具備“進不求名，退不避罪，惟民是保，而利合於主”的無私精神與品質。這種對將帥才識品德的綜合要求，同樣適合於今天的軍隊建設。

除了對將帥個人的才能品質提出要求之外，孫子還從加強軍隊戰鬥力的角度提出了“視卒如嬰兒”、“視卒如愛子”的愛兵要求，認為只有這樣做，才能團結軍心，加強軍隊的凝聚力，使士卒能夠“與之赴深谿”、“與之俱死”。另一方面，愛兵並不意味着放縱不管，“厚而不能使，愛而不能令，亂而不能治，譬如驕子，不可用也”。只有把愛兵與嚴格要求統一起來，才能訓練出富有戰鬥力的軍隊。孫子的這些論述，是對前文“合之以文，齊之以武”的治軍思想的進一步闡發。

在本篇的最末，孫子提出了一個“知兵”的要求。所謂“知兵”，具體來說，就是“知彼知己”、“知天知地”。這實際上是對統兵將帥綜合素質的一個極高要求，只有“知兵”之將，才能做到“動而不迷，舉而不窮”。孫子的論述，揭示了一條指揮戰爭者應當遵從的亙古不變的真理。

名家論析

曹操：欲戰，審地形以立勝也。

李筌：軍出之後，必有地形變動。

王皙：地利當周知險、隘、支、掛之形也。

九地[1]篇

孫子曰：用兵之法，有散地[2]，有輕地[3]，有爭地[4]，有交地[5]，有衢地，有重地[6]，有圮地，有圍地，有死地。諸侯自戰其地者，為散地。入人之地而不深者，為輕地。我得則利，彼得亦利者，為爭地。我可以往，彼可以來者，為交地。諸侯之地三屬，先至而得天下之眾者，為衢地。入人之地深，背城邑多者，為重地。行山林、險阻、沮澤，凡難行之道者，為圮地。所由入者隘，所從歸者迂，彼寡可以擊吾之眾者，為圍地。疾戰則存，不疾戰則亡者，為死地。是故散地則無戰[7]，輕地則無止[8]，爭地則無攻[9]，交地則無絕[10]，衢地則合交，重地則掠[11]，圮地則行，圍地則謀，死地則戰。

注釋

1. 九地：即下文所說“散地”、“輕地”、“爭地”、“交地”、“衢地”、“重地”、“圮地”、“圍地”、“死地”九種地形名稱。這九種地形有按作戰區域所屬國之不同劃分的，如散地在本國，輕地、重地屬鄰國，交地為兩國相鄰的地區，衢地則為三國交鄰的地區；又有從軍事戰略的角度劃分的，如爭地、圮地、圍地、死地等。其中衢地、圮地、圍地、死地以及下文出現的“絕地”，在《九變篇》已經述及。

2. 散地：本國內的作戰地區。在本土作戰，士卒戀家，軍心容易渙散，故曰“散地”。
3. 輕地：進入敵國尚不深入，士卒輕返之地。
4. 爭地：戰略位置重要，兩軍必爭之地。
5. 交地：兩國接壤的地區。
6. 重地：深入敵境的地區。
7. 散地則無戰：散地軍心容易渙散，故曰不宜作戰。
8. 輕地則無止：輕地入敵未深，士卒容易逃返，故曰不宜停留。
9. 爭地則無攻：爭地已為敵軍佔據，必有重兵把守，其利在敵，故曰不宜攻取。
10. 交地則無絕：兩國交鄰之地，容易遭到截擊，故要保持聯繫，相互支援，不可斷絕。
11. 重地則掠：深入敵境，給養困難，故須“因糧於敵”，掠取當地資源補充軍需。

所謂古之善用兵者，能使敵人前後不相及[12]，眾寡不相恃[13]，貴賤不相救[14]，上下不相收[15]，卒離而不集[16]，兵合而不齊[17]。合於利而動，不合於利而止[18]。敢問：敵眾以整將來[19]，待之若何？曰：先奪其所愛[20]，則聽矣。兵之情主速[21]，乘人之不及，由不虞之道[22]，攻其所不戒也。

注釋

12. 前後不相及：及，趕上。隔斷隊伍使其前後失去聯繫。
13. 眾寡不相恃：大部隊與小分隊無法相互依靠。
14. 貴賤不相救：軍官與士卒不能相互救助。
15. 上下不相收：收，收攏，聚集。上級和下級無法聚合。
16. 卒離而不集：士卒分散無法集中。
17. 兵合而不齊：對陣交戰時陣形不齊。
18. 合於利而動，不合於利而止：此句亦見於《火攻篇》，在此與上下文不相屬，或為《火攻篇》文錯簡至此。
19. 敵眾以整將來：敵人兵力眾多而且陣容整齊，將要進犯於我。
20. 奪其所愛：奪取敵人的要害之處。
21. 兵之情主速：主速，重在神速。用兵之理，重在神速。
22. 不虞之道：讓人意想不到的途徑。

凡為客之道[23]，深入則專[24]，主人不克[25]；掠於饒野，三軍足食；謹養[26]而無勞，併氣積力；運兵計謀，為不可測[27]。投之無所往，死且不北[28]，死焉不得，士人盡力[29]。兵士甚陷則不懼[30]，無所往則固[31]，深入則拘[32]，不得已則鬥。是故其兵不修而戒[33]，不求而得，不約而親，不令而信，禁祥去疑[34]，至死無所之[35]。

吾士無餘財，非惡貨也；無餘命，非惡壽也。令發之日，士卒坐者涕霑襟，偃臥者涕交頤[36]，投之無所往者[37]，諸、劌之勇[38]也。

注釋

23. 為客之道：客，這裡指進入敵國境內的部隊。進入敵國境內作戰的原則。
24. 深入則專：深入敵境，軍心就會整齊專一。
25. 主人不克：本土的軍隊就無法克敵。
26. 謹養：仔細供養，這裡指休整隊伍。
27. 為不可測：使敵人無從察知。
28. 死且不北：即使死也不會敗退。
29. 死焉不得，士人盡力：士卒求死不能，怎麼會不竭盡全力。
30. 兵士甚陷則不懼：士卒深陷危險的境地就不會感到恐懼。
31. 無所往則固：固，穩固。無所逃亡軍心就會穩固。
32. 深入則拘：拘，拘束，束縛，引申為凝聚，不渙散。深入敵境就不會渙散。
33. 不修而戒：修，整治，訓練。不進行訓練也會加強戒備。
34. 禁祥去疑：祥，吉凶的預兆，這裡指占卜等迷信活動。疑，疑懼。禁止迷信活動，消除疑懼心理。
35. 至死無所之：之，往，這裡指逃走。戰鬥到死也不會逃跑。
36. 頤：臉頰。

37. 投之無所往者：投置到走投無路的境地。

38. 諸、劌之勇：諸，專諸，或稱鱄設諸，春秋時期吳國的勇士，為吳公子光(即後來的吳王闔閭)刺殺吳王僚，亦被當場殺死。劌，指曹劌，或稱曹沫，春秋時期魯國的勇士，在參加齊、魯柯之盟時，以匕首劫齊桓公於壇上，迫使齊桓公答應歸還所侵佔的魯國的土地。

故善用兵者，譬如率然[39]。率然者，常山[40]之蛇也，擊其首，則尾至，擊其尾，則首至，擊其中，則首尾俱至。敢問："兵可使如率然乎？"曰："可。"夫吳人與越人相惡也，當其同舟而濟，遇風，其相救也如左右手。是故方馬埋輪[41]，未足恃也；齊勇若一，政之道也[42]；剛柔皆得，地之理也[43]。故善用兵者，攜手若使一人，不得已也。

注釋

39. 率然：傳說中一種能首尾互相救應的蛇，又叫"常山蛇"。

40. 常山：據漢簡本，字作"恆山"。傳本作"常山"當是為避漢文帝劉恆諱改。因"常山之蛇"已成為人們熟知的典故，故仍從傳本。

41. 方馬埋輪：把戰馬用繩子拴縛，把車輪埋於土中，以此表示堅守的決心以穩定軍心。

42. 齊勇若一，政之道也：讓大家齊心協心如同一人，這是治理軍隊的方法。

43. 剛柔皆得，地之理也：《說卦》云："是以立天之道，曰陰曰陽，立地之道，曰剛曰柔。"由此可知此"剛柔"指地形的陰陽向背。充分利用地形之陰陽，這是掌握作戰地形環境的原則。

將軍之事，靜以幽[44]，正以治[45]，能愚士卒之耳目，使之無知；易其事[46]，革其謀[47]，使人無識；易其居[48]，迂其途[49]，使人不得慮。帥與之期[50]，如登高而去其梯[51]；帥與之深入諸侯之地，而發其機[52]，若驅群羊，驅而往，驅而來，莫知所之。聚三軍之眾，投之於險，此謂將軍之事也。九地之變，屈伸之利，人情之理，不可不察也。

注釋

44. 靜以幽：沉着冷靜而深隱難測。

45. 正以治：公正而有序。

46. 易其事：變更正在進行的事情。

47. 革其謀：改變原來的計謀安排。

48. 易其居：變換軍隊的駐地。

49. 迂其途：行軍路線迂迴曲折。

50. 帥與之期：將帥與士卒約期，即指下達作戰任務。

51. 登高而去其梯：爬上高處後抽去雲梯。意謂斷其退路，使之勇往直前。

52. 發其機：擊發弩機，這裡也指下達作戰任務。

凡為客之道，深則專，淺則散[53]。去國越境而師者，絕地也。四達者，衢地也。入深者，重地也。入淺者，輕地也。背固前隘[54]者，圍地也。無所往者，死地也。是故散地吾將一其志[55]，輕地吾將使之屬[56]，爭地吾將趨其後[57]，交地吾將謹其守[58]，衢地吾將固其結[59]，重地吾將繼其食[60]，圮地吾將進其途[61]，圍地吾將塞其闕[62]，死地吾將示之以不活[63]。故兵之情，圍則禦，不得已則鬥，過則從[64]。

注釋

53. 淺則散：進入敵境不深，軍心容易渙散。

54. 背固前隘：固，地形險要。後面地形險要，前面道路狹窄，進退均受限制。

55. 一其志：統一士卒的意志。

56. 使之屬：使部隊相連屬。

57. 趨其後：後續部隊迅速跟進。

58. 謹其守：謹慎地守衛。

59. 固其結：結，結盟。鞏固與諸侯的結盟。

60. 繼其食：補給軍糧。

61. 進其途：擇可行之途迅速通過。

62. 塞其闕：堵塞闕口，斷絕退路。

63. 示之以不活：表示死戰到底的決心。

64. 過則從：過，過分。這裡指陷入十分危險的境地士卒就會聽從指揮。

是故不知諸侯之謀者，不能預交，不知山林、險阻、沮澤之形者，不能行軍，不用鄉導者，不能得地利。四五者[65]不知一，非王霸之兵[66]也。夫王霸之兵，伐大國，則其眾不得聚[67]；威加於敵，則其交不得合[68]。是故不爭天下之交[69]，不養天下之權[70]，信己之私[71]，威加於敵，故其城可拔，其國可隳[72]。施無法之賞[73]，懸無政之令[74]，犯三軍之眾[75]，若使一人。犯之以事，勿告以言[76]；犯之以利，勿告以害[77]；投之亡地然後存，陷之死地然後生。夫眾陷於害，然後能為勝敗[78]。

注釋

65. 四五者：指九地之利害。
66. 王霸之兵：王，帝王，先秦時代指最高一級的統治者。霸，先秦時代諸侯的盟主，最早稱“伯”，後多用“霸”字，如春秋五霸。王霸之兵，即指能夠稱王稱霸的軍隊。
67. 其眾不得聚：敵人的軍隊來不及集中。
68. 其交不得合：敵人的盟國就不敢聯合。
69. 爭天下之交：爭取和別的諸侯結交。
70. 養天下之權：養，培養，培植；權，權勢，勢力。在諸侯國培養自己的勢力。
71. 信己之私：信，同“伸”，伸展，發展；私，自己的力量。發展自己的實力。
72. 隳：毀壞。
73. 施無法之賞：無法，不守常法，超出慣例。施行超乎尋常的重賞。
74. 懸無政之令：懸，懸掛，發佈；無政，打破常規。發佈打破常規的號令。
75. 犯三軍之眾：犯，通“範”，規範，這裡指指揮、調動軍隊。

76. 犯之以事，勿告以言：指揮士卒做事情，不要告訴他們任務的意圖。

77. 犯之以利，勿告以害：指揮士卒做有利的事情，不要告訴他們其中的危險。

78. 為勝敗：指奪取勝利。

故為兵之事，在於順詳敵之意[79]，並敵一向[80]，千里殺將，此謂巧能成事者也。是故政舉之日[81]，夷關折符[82]，無通其使，厲於廊廟之上[83]，以誅[84]其事。敵人開闔[85]，必亟入之。先其所愛，微與之期[86]，踐墨隨敵[87]，以決戰爭。是故始如處女[88]，敵人開戶，後如脫兔，敵不及拒。

注釋

79. 順詳敵之意：順，通"慎"，謹慎；詳，審察，考察。謹慎地考察敵人的意圖。

80. 並敵一向：集中兵力攻擊敵人。

81. 政舉之日：政，通"征"，征伐；舉，發動。發動征戰的時候，即大戰前夕。

82. 夷關折符：夷，鏟除，這裡指封鎖；符，古代傳達命令、調兵遣將時所使用的憑證，雙方各執一半，用以驗證真假，如虎符等。封鎖關口，廢除通行符證。

83. 厲於廊廟之上：厲，同“勵”，激勵。在廟堂上激勵將帥志氣。

84. 誅：要求，責成。

85. 開闔：闔，門扇。打開門扇，比喻敵人防守出現漏洞。

86. 微與之期：微，無，不要。不要與敵人約定交戰日期。

87. 踐墨隨敵：踐，履行，實行；墨，墨繩，這裡指既定計劃。執行既定計劃時要隨敵情的變化加以變通。

88. 始如處女：指決戰之前如同處女一般沉靜穩定。

串講

孫子說：用兵打仗的方法，有散地、輕地、爭地、交地、衢地、重地、圮地、圍地、死地之別。諸侯在自己的國土上作戰，士卒戀家，軍心容易渙散的地區，稱為散地；進入他國之境但尚未深入，士卒容易逃返的地區，叫輕地；我軍佔據後有利可圖，敵人佔據後也有利可圖的地區，叫爭地；兩國接壤之地，我軍可以前往，敵軍也可以到來的地區，叫交地；與多國接壤，率先到達能得到諸侯列國援助的地區，叫衢地；深入敵境，身後有眾多敵國城邑的地區，叫重地；山林、險阻、沼澤等難以通行的地區，叫圮地；進軍的路線狹窄，撤退的路線又十分迂遠，敵軍能夠以少數兵力攻擊我軍的地區，叫圍地；奮勇作戰就可能生存，不奮勇作戰就會覆滅的地區，叫死地。所以在散地上不宜作戰；在輕地上不可停留；爭地敵軍佔領，必有重兵把守，不宜攻取；在交地容易遭到截擊，故須保持聯繫，不可斷絕；進入衢地要結交鄰國以求多助；深入重地要掠取當地資源以補充軍需；遇到圮地要迅速通過，不可逗留；陷入圍地要巧設計謀；到死地就要拚死一戰。

古時候善於指揮作戰的人，能夠使敵人的部隊前後隔斷失去聯繫，大部隊和小分隊無法相互依靠，軍官士卒不能相互救助，上級下級無法聚合，士卒潰散無法集中，對陣交戰時陣形不齊；對自己有利就採取行動，對自己沒有好處就按兵不動。請問：敵人兵力眾多而且陣容整齊，將要來犯於我，用什麼辦法對付他呢？回答是：先奪取敵人的要害之處，他就不得不聽從擺佈了。用兵之理，重在神速，乘敵人措手不及的時候，從敵人意想不到的途徑，攻擊他沒有防備的地方。

大凡進入敵國境內作戰的原則是，深入敵境，軍心就會整齊專一，本土的軍隊就無法克敵；在豐饒的田野上大肆掠取，全軍就有了足夠的糧食；注意休整部隊不要使之過於疲勞，增強士氣，蓄積力量；部署兵力，巧設計謀，使敵人無從察知。把部隊置於走投無路的絕境之中，士卒即使戰死也不會敗退，士卒求死不能，又怎麼會不竭盡全力戰鬥呢？士卒深陷於危險的境地就不會再感到害怕，無所逃亡軍心就會穩固，深入敵境軍心就不會渙散，迫不得已就會奮起而戰。因此，不加訓練也會加強戒備，無需強求也會完成任務，不加約束也會團結合作，無需申令也會遵守軍規，不搞迷信活動，消除疑懼心理，即使戰鬥到死也不會逃跑。我軍將士沒有多餘的財物，不是討厭財貨；不貪圖生命，不是討厭長壽。當作戰命令下達的時候，坐着的士兵們眼淚沾濕了衣襟，躺着的淚流滿面。把他們派往無路可走的絕境，他們就會像專諸、曹劌那樣勇敢了。

所以善於用兵打仗的人，就像率然一樣。率然，是一種產於常山的蛇，打擊它的頭部，尾部就會來救應，打擊它的尾部，頭部就會來救應，打擊它的腰身部位，頭部、尾部都會來救應。請問：可以使軍隊也像率然那樣嗎？回答說：可以。吳國人和越國人相互仇恨，當他們坐在同一條船上過河時，遇到大風，他們會相互救助如同一個人的左手和右手一樣。因此，把戰馬用繩子拴在一起，把戰車的車輪埋於土中，以此來表示堅守的決心以穩定軍心，那也是靠不住的。讓大家齊心協力如同一人，這是治理軍隊的方法；充分利用地形之陰陽，這是掌握作戰地形環境的原則。所以善於用兵打仗的人，能使全軍攜起手來，就像指揮一個人一樣，這是由於客觀形勢的迫不得已造成的。

統率軍隊作戰，要沉着冷靜而深隱難測，要公正而有序，能夠蒙蔽士卒的耳目，使他們對軍事行動一無所知；要變更正在進行的事情，改變原來的計謀安排，使人們無法識破其中的玄機；要變換軍隊的駐地，使行軍路線迂迴曲折，讓人弄不明白軍事行動的意圖。將帥下達了作戰任務，要像爬上高處後抽去雲梯，讓士卒無路可退；將帥領兵深入敵境，就像扳動弩機射出的箭一樣只能勇往直前。士卒就像被驅趕的羊群一樣，被趕來趕去，沒有人知道要到哪裡去。聚結軍隊，把他們安置到危險的作戰環境中，這就是統率軍隊的責任。九種地形的應變措施，屈伸進退的利害得失，官兵情緒心理的各種變化，是不能不認真考察和研究的。

大凡進入敵國境內作戰的原則是，深入敵境軍心就會一致，進入敵境不深，軍心就容易渙散。遠離本土跨越邊境而作戰的地區，就是絕地；四通八達的地區，就是衢地；進入敵國縱深的，就是重地；進入敵境不深的，就是輕地；後面地形險要，前面道路狹窄，進退均受限制的地區，就是圍地；無路可走的地區，就是死地。因此，在散地我要統一士卒的意志，在輕地我要讓部隊前後連屬，在爭地我要讓後續部隊迅速跟進，在交地我要謹慎小心地防守，在衢地我要鞏固與諸侯的結盟，在重地我要想辦法補給軍糧，在圮地我要擇可行之途迅速通過，在圍地我要堵塞闕口，斷絕後路，在死地我就表示出死戰到底的決心。所以用兵打仗的道理是，被圍困就會防禦，迫不得已就會戰鬥，陷於十分危險的境地就會聽從指揮。

因此，不了解諸侯列國的意圖，就不能預先結交；不了解山林、險阻、沼澤等地形，就不能行軍；不使用嚮導，就不能利用地形之利。對於九地之利害有一方面不了解，就不是能夠稱王稱霸的軍隊。能夠稱王稱霸的軍隊，去攻打大國，大國的軍隊就來不及集中；兵威施加給敵國，敵人的盟國就不敢聯合應對。因此，不去爭取和別的諸侯結交，不在諸侯國培植自己的勢力，發展和壯大自己的實力，把威力施加給敵人，就可以攻下敵人的城邑，毀滅敵人的國家。施行超乎尋常的重賞，發佈打破常規的號令，指揮調動全軍將士就像指揮一個人一樣。指揮士卒做事情，不要告訴他們任務的意圖；指揮士卒做有利的事情，不要告訴他們其中的危險；把士卒投入危險境地，才能轉危為安 ，把士卒投入死亡之境，才能起死回生。軍隊陷於危險之中，然後才能奪取勝利。

所以，用兵打仗這種事，在於能夠謹慎地考察敵人的意圖，然後集中兵力攻擊敵人，行軍千里，斬兵殺將，這就是人們所說的巧施計謀能夠成就大事。因此，在大戰前夕，要封鎖關口，廢止通行憑證，不許敵國使者通行；在廟堂之上激勵將帥志氣，以責成其事。在敵人防守出現漏洞時，一定要迅速乘機攻入。率先奪取其要害之處，不要與敵人約定交戰的日期，在執行既定計劃時要根據敵情變化隨時變通，決定自己的作戰行動。因此，戰爭開始之前要像處女一樣沉靜穩定，待敵鬆懈防守出現漏洞時，就要像逃脫的野兔一樣迅速行動，讓敵人措手不及，無法抵擋。

明·《平蕃得勝圖》卷（局部）

評析

本篇是《孫子》十三篇中篇幅最長的一篇，也是內容最為龐雜，同時最為豐富的一篇。除了各個段落意義互不銜接之外，全篇內容的前半部分與後半部分有明顯的重複痕跡。有人因此懷疑它們是同一篇內容的兩個本子，其說不無道理。

孫子根據戰場位置的不同特點，從側重於戰區特徵的角度，把作戰地點劃分為散地、輕地、交地、重地、圍地、死地等九個類型，並且根據不同戰地士卒心理的不同特點提出了相應的統兵方法。如在散地軍心容易渙散，故曰“無戰”；輕地入敵未深，士卒容易逃返，故曰“無止”。從這些論述可以看出，孫子已經充分認識到了士卒的戰場心理對於作戰行為的影響，因此可以把孫子的這些思想看作是戰場心理學的萌芽。

孫子倡導“王霸之兵”的軍事理念，提出了依靠自己的軍事實力威懾敵國，從而達到兼併目的的戰略思想，“不爭天下之交，不養天下之權，信己之私，威加於敵，故其城可拔，其國可隳”。由此可以看出，孫子對當時愈演愈烈的兼併戰爭持肯定和讚許的態度。從社會歷史發展的角度而言，兼併戰爭是走向統一的必然過程，因此，孫子的態度是合乎和順應當時歷史發展的潮流的。

兼併戰爭的特點是戰火多在被兼併者的土地上燃燒，因此，孫子着重論述了“為客之道”，即進入敵國境內作戰的原則：“凡為客之道，深則專，淺則散。”這一原則建立在以下認識的基礎上：“兵士甚陷則不懼，無所往則固，深入則拘，不得已則鬥。”“兵之情，圍則禦，不得已則鬥，過則從。”另一個最為著名的觀點就是：“投之亡地然後存，陷之死地然後生。”基於對戰場心理的這種認識，他提出了一條在特殊情況下佈置軍隊的基本原則：“聚三軍之眾，投之於險，此謂將軍之事也。”雖然在後世不乏按照“投之亡地然後存，陷之死地然後生”的原則取得勝利的戰例，但這種“聚三軍之眾，投之於險”的冒險做法，是在“深入諸侯之地”的前提下被提出的，只能是特殊情況下特殊的用兵之法，並非處軍、作戰的常法，因而不能把它做為孫子軍事思想的基本原則來看待。

與此相關聯，孫子在這裡也提出了一個在今人看來爭議頗多的治軍原則：“將軍之事，靜以幽，正以治，能愚士卒之耳目，使之無知；易其事，革其謀，使人無識；易其居，迂其途，使人不得慮。”有人把這條原則與“如登高而去其梯”、“若驅群羊，驅而往，驅而來，莫知所之”等結合起來，當成孫子的愚兵思想來加以批判。實質上，這一段文字立論的前提，就是前文所說的"為客之道"，其中心內容則是論述在敵國境內作戰時軍事行動中的保密性問題及執行命令時的強制性問題。對於任何時代的戰爭而言，戰略意圖、作戰計劃的保密性與強制性執行命令的問題，是任何軍隊都不能回避的，這也是由戰爭的特殊性以及鬥爭環境的複雜性決定的。因此，與其將它們當作孫子的愚兵思想，不如作為保密原則看待則更為恰當。這是需要特別指出和說明的。

孫子非常重視軍隊的協調性問題，針對不同的戰區環境，他分別提出了"一其志"、"使之屬"、"趨其後"等要求。在遭遇危險之時，他要求軍隊要像常山之蛇率然那樣各分隊之間能夠相互救應。基於此，他提出了"方馬埋輪，未足恃也；齊勇若一，政之道也"的治軍主張。只有真正做到了統一意志，統一行動，"攜手若使一人"的軍隊，才是保證戰爭取得最後勝利的基本條件。要做到這一點，除了"投之無所往"令士卒"不得已則鬥"的強制措施之外，"併氣積力"的養精蓄銳，"無餘財"、"無餘命"的品質培養，"禁祥去疑"的統一思想，"施無法之賞，懸無政之令"賞罰結合，都是行之有效的方法。這些在古代軍隊建設中產生和積累起來的思想經驗，對於當今社會各個領域內從事管理工作的人來說都有一定的啟發作用。

另外，本篇還有一個很重要的內容，就是討論了突襲戰爭的作戰思想與方法問題。其最基本的思想就是："兵之情主速，乘人之不及，由不虞之道，攻其所不戒也。"這是對《作戰篇》"兵聞拙速"以及《虛實篇》"避實而擊虛"思想的綜合與總結，體現了孫子最基本的作戰思想與方法，在中國戰爭史上產生了深遠的影響。

名家論析

曹操：欲戰之地有九。

王皙：用兵之地，利害有九也。

張預：用兵之地，其勢有九。此論地勢，故次地形。

火攻篇

孫子曰：凡火攻有五：一曰火人[1]，二曰火積[2]，三曰火輜[3]，四曰火庫[4]，五曰火隊[5]。行火必有因[6]，因必素具[7]。發火有時，起火有日。時者，天之燥也。日者，月在箕、壁、翼、軫[8]也。凡此四宿者，風起之日也。

注釋

1. 火人：火燒敵軍人馬。
2. 火積：積，蓄積的糧草。火燒敵人屯集的糧草。
3. 火輜：輜，軍需物資如器械、營帳、衣服等。火燒敵人的軍需物資。
4. 火庫：庫，庫藏。火燒敵人的府庫。
5. 火隊：隊，同"隧"，通道，這裡指糧道及運輸設施。
6. 行火必有因：因，這裡指引火的工具等。實施火攻一定要具備相應的工具。
7. 因必素具：實施火攻所需的工具一定要素有準備。
8. 月在箕、壁、翼、軫：中國古代天文學家把周天黃道的恆星劃分為二十八個星座，月亮環繞這二十八個星座運行，依次止於一星，即一宿，這二十八個星座故稱作二十八宿。它們分別是東方蒼龍七宿：角亢氐房心尾箕，西方白虎七宿：奎婁胃昴畢觜參，北方玄武七宿：斗牛女虛危室壁，南方朱雀七宿：井鬼柳星張翼軫。其中箕為東方蒼龍第七宿，壁為北方玄武第七宿，翼為南方朱雀第六宿，軫為西方白虎第五宿。古人認為在月亮行經這四星時為多風之日。

凡火攻，必因五火之變[9]而應之。火發於內，則早應之於外。火發，兵靜者，待而勿攻；極其火力[10]，可從而從之，不可從而止；火可發於外，無待於內，以時發之。火發上風，無攻下風[11]，晝風久，夜風止[12]。凡軍必知有五火之變，以數守之[13]。故以火佐攻者明[14]，以水佐攻者強，水可以絕[15]，不可以奪[16]。

注釋

9. 五火之變：五種火攻引起的敵情變化。
10. 極其火力：極，盡。讓火勢燒到要熄滅時。
11. 火發上風，無攻下風：要在上風處放火，不要從下風處進攻。
12. 晝風久，夜風止：白天風颳得時間長，晚上就會停止。
13. 以數守之：數，即星宿運行的方位，即上文所云"時"、"日"。等待發火的時日到來即行火攻。
14. 以火佐攻者明：明，指進攻效果明顯。用火來輔助進攻效果明顯。
15. 水可以絕：水攻可以把敵軍分割隔絕。
16. 不可以奪：不能毀奪敵人的資財。一說此句應為"火可以奪"，即火攻可以焚毀敵人資財，且"火"與"水"相對成文，但此說無文獻依據，故仍從原文。

夫戰勝攻取，而不修其功[17]者凶，命曰費留[18]。故曰：明主慮之，良將修之，非利不動，非得不用，非危不戰。主不可以怒而興師，將不可以慍而致戰[19]；合於利而動，不合於利而止。怒可以復喜，慍可以復悅，亡國不可以復存，死者不可以復生。故明君慎之，良將警之，此安國全軍之道也。

注釋

17. 不修其功者：修，修治，鞏固。不能鞏固其勝利成果。
18. 費留：指戰事拖延造成軍費流失。
19. 以慍而致戰：慍，怨恨，生氣。因為怨恨而出兵求戰。

串講

孫子說：火攻的對象有五種：第一種是用火攻燒敵軍的人馬，第二種是用火攻燒敵人屯集的糧草，第三種是用火攻燒敵人的輜重，第四種是用火攻燒敵人的府庫，第五種是用火攻燒敵人的糧道及運輸設施。實行火攻必須具備一定的條件，放火的工具一定要素有準備。發動火攻有特定的時節和日期：時節，就是在天氣乾燥的時候；日期，就是月亮行經箕、壁、翼、軫四宿的時候。月亮行經這四個星宿的時候，就是起風的日子。

凡是在進行火攻的時候，一定要根據火攻引起的敵情變化而採取應對措施。在敵營內部發起火攻，就要及早在外面派兵接應。火已燒起而敵營沒有動靜的，就要靜觀其變而不要急於進攻。讓火一直燒下去，可以藉火勢進攻

火戰中最著名的戰例——赤壁之戰遺址

就進攻，不能藉火勢進攻就不要進攻。火也可從敵營外面燒起，不要等待內應，按照一定的日期和時間發起火攻就可以了。要在上風處發起火攻，不要從下風處進攻。白天風颳得時間長，夜晚風就停了。大凡統軍打仗，一定要懂得五種火攻的應變措施，等待放火的時日到來即行火攻。因此，用火來輔助進攻效果明顯，用水來輔助進攻則攻勢強大，水攻可以把敵軍分割隔絕，但不能毀奪敵人的資財。

凡是打了勝仗，奪取了土地城邑，而不能鞏固勝利果實的就有危險，這就是勞民傷財的"費留"。所以說，英明的國君要慎重地考慮這個問題，賢良的將領要認真地處理這個問題。無利可圖就不行動，不能取勝就不用兵，不是到了危險關頭就不開戰。國君不能因為憤怒而發動戰爭，將軍不能因為怨恨而出兵求戰。對自己有利就採取行動，對自己沒有好處就按兵不動。憤怒可以重新變得高興，怨恨可以重新變得喜悅，但國家滅亡之後就不能復存，人死了就不能再生。所以英明的國君要慎重小心，賢良的將領要提高警惕，這是安定國家保全軍隊的原則。

評析

火攻是消滅敵軍人馬、毀奪敵軍資財、破壞敵軍設施的一種特殊而有效的進攻手段，因而也是歷代戰爭中經常被使用的作戰方法。遠者如曹操焚燒袁紹糧草的官渡之戰，劉備、周瑜聯手火燒曹操戰船的赤壁之戰，近者如抗戰時期的火燒明陽堡機場、埃及與以色列戰爭中的火燒蘇伊士運河，都是因使用火攻而聞名於世的戰例。孫子單設一篇討論火攻的種類、條件以及實施方法，並明確提出“以火佐攻者明”的看法，充分說明了他對火攻的重視程度。儘管如此，火攻畢竟只是一種佐攻的手段，“凡火攻，必因五火之變而應之”，在具體論述實施火攻的具體方法時，孫子仍然強調火攻與兵攻的密切配合，強調兵攻的重要性。

孫子提出實施火攻一方面必須具備一定的物質條件：“行火必有因，因必素具。”另一方面也必須具備一定的氣象條件：“發火有時，起火有日。時者，天之燥也。日者，月在箕、壁、翼、軫也。”在《計篇》中，孫子就把“天”和“地”一起作為影響戰爭勝負的“五事”之一提了出來，但是氣象科學的發展水平直接地制約着人們對“天”的了解與把握程度，人們對“天”的了解只能達到“月在箕、壁、翼、軫，風起之日”、“月離於畢，俾滂沱矣”一類經驗性認識的水平。因此，在整個《孫子兵法》中，對於地形的掌握與應用問題得到了相當充

敦煌的唐代戰爭壁畫

分的論述，應用天時條件的具體論述則僅此一見。隨着科學技術的迅速發展，在現代戰爭中，人們不但能夠通過準確的預測工作充分利用各種氣象條件，甚至可以利用科技手段改變氣象條件以適應戰爭的需要。這樣的發展趨勢不能不讓人感到擔憂。

本篇另外一個十分重要的內容，是孫子在《計篇》論述“兵者，國之大事，死生之地，存亡之道，不可不察”之後，又一次重申了“慎戰”的思想。他明確反對因感情用事而輕率地發動戰爭，“主不可以怒而興師，將不可以慍而致戰”，因為“怒可以復喜，慍可以復悅，亡國不可以復存，死者不可以復生”。他強調必須把戰爭建立在利益的基礎上，要權衡利弊，“合於利而動，不合於利而止”，提出“非利不動，非得不用，非危不戰”，從“安國全軍之道”的高度來警戒統治者必須謹慎地對待戰爭。這種慎戰的思想，突出地體現了孫子作為一位優秀軍事家所具備的理性精神。

名家論析

曹操：以火攻人，當擇時日也。

王皙：助兵取勝，戒虛發也。

張預：以火攻敵，當使奸細潛行，地理之遠近，途徑之險易，先熟知之，乃可往。故次九地。

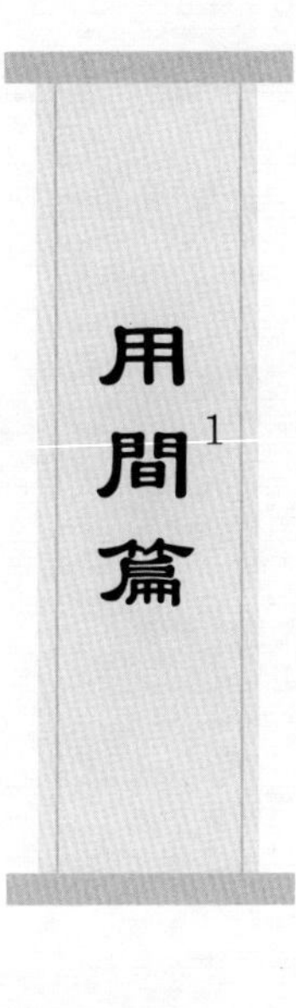
用間篇[1]

孫子曰：凡興師十萬，出征千里，百姓之費，公家之奉，日費千金，內外騷動[2]，怠於道路，不得操事[3]者七十萬家。相守[4]數年，以爭一日之勝，而愛[5]爵祿百金，不知敵之情者，不仁之至也，非人之將也，非主之佐[6]也，非勝之主[7]也。故明君賢將，所以動而勝人[8]，成功出於眾者，先知[9]也。先知者，不可取於鬼神[10]，不可象於事[11]，不可驗於度[12]，必取於人，知敵之情者也。

注釋

1. 用間：間，間諜。使用間諜。
2. 內外騷動：指舉國不安。
3. 操事：操持農事。
4. 相守：相持。
5. 愛：愛惜，吝惜。
6. 非主之佐：不是國君的輔佐之臣。
7. 非勝之主：不是勝利的主宰。
8. 動而勝人：一旦出兵就能克敵制勝。
9. 先知：預先察知敵情。
10. 不可取於鬼神：取，求取。不能以祈禱祭祀的方式從鬼神那裡求取。

11. 不可象於事：象，以類推求。不能用相似的戰例來推求。

12. 不可驗於度：驗，占驗；度，度數，即日月星宿的運行位置。不能用日月星宿的運行方位來占驗吉凶勝負。

故用間有五：有鄉間、有內間、有反間、有死間、有生間。五間俱起，莫知其道，是謂神紀[13]，人君之寶也。鄉間者，因其鄉人[14]而用之。內間者，因其官人[15]而用之。反間[16]者，因其敵間[17]而用之。死間[18]者，為誑事於外[19]，令吾間[20]知之，而傳於敵間也。生間者，反報[21]也。故三軍之親，莫親於間，賞莫厚於間，事莫密於間。非聖智不能用間，非仁義不能使間，非微妙不能得間之實[22]。微哉微哉[23]，無所不用間也。

注釋

13. 神紀：紀，法度，準則。神妙的道理。

14. 鄉人：同鄉之人。

15. 官人：官吏。

16. 反間：敵人的間諜反為我所用。

17. 敵間：敵人的間諜。

18. 死間：因為向敵人傳送假情報而多被敵人處死，故稱死間。

19. 為誑事於外：誑，欺騙，虛假。在外製造和散佈假消息。

20. 吾間：即死間。

21. 反報：返回報告消息。

22. 非微妙不能得間之實：微妙，精細高妙；實，實情。不是精細高妙的人，就不能分析得出間諜情報的真實程度。

23. 微哉微哉：微妙啊微妙。

間事未發而先聞者，間與所告者皆死。凡軍之所欲擊，城之所欲攻，人之所欲殺，必先知其守將、左右[24]、謁者[25]、門者[26]、舍人[27]之姓名，令吾間必索知之。必索敵人之間來間我者，因而利之，導而捨之，故反間可得而用也。因是而知之，故鄉間、內間可得而使也；因是而知之，故死間為誑事，可使告敵；因是而知之，故生間可使如期[28]。五間之事，主必知之，知之必在於反間，故反間不可不厚也。

注釋

24. 左右：指近侍之臣。

25. 謁者：官名，主掌通接賓客之事。

26. 門者：掌守門禁的人。

27. 舍人：《周禮．地官》有“舍人”一職，掌宮中之政。戰國至漢初，“舍人”多指王公貴人的私府之官。

28. 生間可使如期：生間可以按預定的期限返回。

昔殷[29]之興也，伊摯[30]在夏。周之興也，呂牙[31]在殷。故惟明君賢將，能以上智[32]為間者，必成大功，此兵之要，三軍之所恃而動也。

注釋

29. 殷：朝代名。公元前十七世紀，商湯滅夏建立商朝，都於亳(在今河南商丘北)，到公元前十三世紀前後，商王盤庚遷都於殷（即今河南安陽），後世因稱商為殷。

30. 伊摯：即商朝開國名臣伊尹，相傳生於伊水，故名伊，又名摯，尹為官名。伊尹因為輔佐商湯滅夏有功，又被尊稱為“阿衡”。

31. 呂牙：即齊太公呂尚，名望，字子牙，又稱姜子牙、姜太公，原為商臣，後由商入周，幫助周文王、周武王伐紂滅殷，被尊稱為“太公望”、“師尚父”，周王朝建立後，受封為齊侯。

32. 上智：具有極高智慧的人。

串講

孫子說：一般來說，興兵十萬，出征千里，百姓的耗費，公室的開支，每天要耗費千金，這使得舉國上下混亂不安，道路運輸使人疲憊不堪，因為戰爭而不能操持農事的有七十萬家。這樣與敵軍相持好幾年，只為了有朝一日能夠取得勝利。但有的將帥卻因為吝惜爵祿錢財，不肯使用間諜，因不了解敵情而導致失敗，這真是不仁到了極點了。他們不配作三軍之眾的將領，不是國君的輔佐之臣，不是勝利的主宰者。因此，英明的國君與賢良的將帥，他們之所以一旦出兵就能克敵制勝，取得超出常人的成功，就在於他們能夠預先察知敵情。預先察知敵情，不能以祈禱祭祀的方式從鬼神那裡求取，不能用相似的戰例來推求，不能用日月星宿的運行方位來占驗吉凶勝負，一定要取之於人，從了解敵情的人那裡獲取。

間諜的運用有五種類型：鄉間、內間、反間、死間、生間。這五種間諜同時使用，沒有人知道其中的規律，這就是使用間諜的神妙道理，這是國君戰勝敵人的法寶。所謂鄉間，就

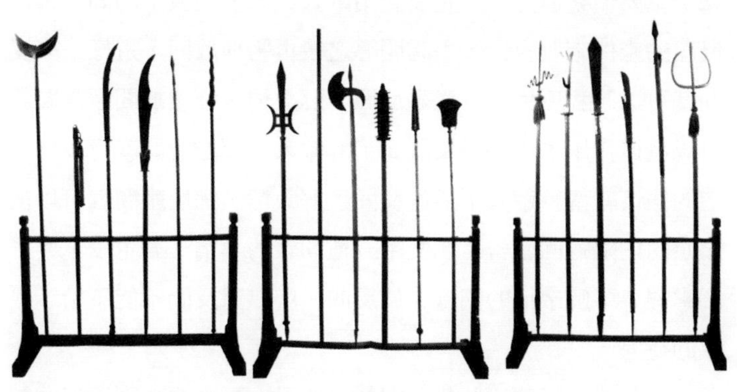

中國古代的十八般兵器

是利用敵軍的同鄉之人做間諜。所謂內間，就是利用敵國的官吏做間諜。所謂反間，就是敵人的間諜反為我所用。所謂死間，是我方在外製造和散佈假情報，讓我方潛入敵人內部的間諜知道並把它傳給敵人的間諜。所謂生間，就是間諜能夠親自返回報告敵情消息的。因此，將帥在軍隊中的親信之人，沒有比間諜更親近的，獎賞沒有比給間諜的更豐厚的，事情沒有比間諜更秘密的。不是才智非凡的將帥不能使用間諜，不是仁愛有德的將帥不能差遣間諜，不是精細高妙的人不能分辨間諜情報的真實性。微妙啊微妙！沒有什麼地方不能使用間諜的。

孫子之後的又一位軍事家孫臏像

間諜的事情尚未實施就走漏了消息的，泄密的間諜和他所告訴的人都要被處死。一般來說，要襲擊敵人的軍隊，要攻打敵人的城邑，要刺殺敵方的官員，一定要先了解其主將、左右親信、通報官員、守門人以及私府官員的姓名，命令我方的間諜一定要偵察清楚。一定要查出敵人派來偵察我軍的間諜，以優厚的條件來收買他，引誘開導之後再將他放回，這樣一來反間就可以為我所用了。通過反間了解敵情，那麼鄉間、內間就可以發揮作用了；通過反間而了解敵人，那麼死間就可以把製造的假情報傳給敵人；通過反間了解敵情，那麼生間就可以按預定的期限返回報告了。使用五種間諜的事情，君主一定要了解掌握。了解敵情的關鍵在於反間，所以對反間不能不給予優厚的待遇。

以前殷商王朝的興起，因為有伊尹在夏為間。周王朝的興起，因為有姜尚在殷為間。所以只要英明的國君、賢能的將帥，能夠使用具有極高智慧的人作間諜，就一定能夠成就大功大業。這是用兵的關鍵所在，整個軍隊都是要依靠他提供的情報來採取行動的。

評析

當今社會，在軍事、商業、科技等等領域，凡是存在競爭的地方，無不發生着激烈、複雜而又隱蔽的情報戰。隨着現代科學技術的發展，尖端的科技手段大大增加了情報戰的複雜性、尖銳性與隱蔽性。儘管如此，人仍然在情報戰中發揮着不可或缺的作用。在沒有任何科技手段可以依賴的古代社會，“用間”則是獲取情報最基本也最有效的方式。

在前面各篇中，孫子從不同的角度申述了預知敵情之於戰爭的重要性。在本篇中，他對此作了明確的表述，“明君賢將，所以動而勝人，成功出於眾者，先知也”。對於如何預先察知敵情，孫子明確樹立了“必取於人”的科學思想：“先知者，不可取於鬼神，不可象於事，不可驗於度，必取於人，知敵之情者也。”這裡所說的“人”，就是指間諜。孫子非常重視間諜的作用，他把因為吝惜爵祿錢財，不肯重用間諜，“不知敵之情”而導致失敗的人斥為“不仁之至”，稱他們是“非人之將”、“非主之佐”、“非勝之主”，又說“五間俱起，莫知其道，是謂神紀，人君之寶也”，“此兵之要，三軍之所恃而動也”。間諜的作用可以說已經被抬高到了無以復加的地位。

所謂“五間”，是孫子根據間諜的身份、地位以及任務性質的不同而劃分出來的五種類型，即鄉間、內間、反間、死間和生間。在五間之中，孫子尤其重視反間，認為“五間之事，主必知之，知之必在於反間，故反間不可不厚也”。間諜之事涉及軍事機密，因此，孫子提出了用間的三條原則，“三軍之親，莫親於間，賞莫厚於間，事莫密於間”。與此相應，對於泄密的間諜，其懲罰也是最嚴厲的：“間事未發而先聞者，間與所告者皆死。”間諜之事本來就屬於以假為真、以虛為實的詭道，為了刺探敵方軍情、破壞敵人的計劃，用間、行間又是敵對雙方的相互行為，這更增加了間事的複雜性與詭秘性。因此，用間、行間既是一種高智慧的鬥爭方式，“非聖智不能用間，非仁義不能使間，非微妙不能得間之實”，在用間、行間的同時，也要有針對性地展開反間諜活動的鬥爭，“必索敵人之間來間我者，因而利之，導而捨之，故反間可得而用也”。三國故事中周瑜利用曹操派蔣幹來吳軍軍營之機，偽造書信故意令蔣幹盜去，從而使曹操殺掉蔡瑁、張允的事情，就是典型的反間之計。

孫子通過對用間原則、方式、特點的論述，揭示了情報工作的普遍規律和本質特徵。這些原則與規律，不僅深刻地影響了歷代的軍事家，而且在現代社會各個行業的情報戰中仍然具有重要的指導意義，而其“微哉微哉，無所不用間也”的感歎，也在當今社會各個領域的競爭中得到了印證。

名家論析

曹操：戰者必用間諜，以知敵之情實也。

張預：欲索知敵情者，非間不可也。然用間之道，尤須微密，故次火攻也。

附錄

銀雀山漢墓竹簡《孫子兵法》釋文

說　明

1. 釋文以文物出版社1985年出版的《銀雀山漢墓竹簡》[壹]所收《孫子兵法》上編為底本，又根據李零《〈孫子〉古本研究》（北京大學出版社1995年版）對部分釋文進行了修改和補充。
2. 釋文按今本順序排列。
3. 釋文中用“……”表示缺文，補釋的缺文用“[]”表示，殘文及補釋的殘文用“□”表示，通假字、異體字用“( )”標出。

《孫子兵法》篇題木牘

	埶			
□	實□	•軍爭	行□……□十五	
七埶三千□□	火□	用間	九地	□刑（形）

李零《〈孫子〉古本研究》復原表

上欄	中欄	下欄
	[謀攻]	地刑（形）
[計]	行軍[三千]□十五	九地
作戰	•軍爭	用間
埶（勢）	實虛	火□
[形（形）]	[九變]	七埶（勢）三千[□]□[□□]

《孫子兵法》正文

[計]

[孫子]曰：兵者，國之大事也。死生之地，存亡之道，不可不察也。故輕（經）之以五，效（校）之以計，以索亓（其）請（情）。一曰道，二曰天，三曰地，四曰將，五曰法。道者，令民與上同意者也，故可與之死，可與之生，民弗詭也。天者，陰陽寒暑時制也，順逆兵勝也。地者，高下廣陜（狹）遠近險易死生也。將者，知（智）□……曲制官道主用也。凡此五者……孰能？天地孰得？法[令孰行?兵眾]孰強？士卒孰練？賞訃(罰）孰明？吾以此知勝[負矣，將聽吾]計，用之必勝……用而視（示）之不用，近而視（示）之遠，[遠]而視（示）之近。故利而誘之，亂而取之，實[而]備之，強而避之，怒而譊(撓）之，攻亓(其)[無]備，出亓(其)……勝，不可……筭勝者……筭少[也。多筭勝]少筭，而況无（無）筭乎！吾以此觀……

作戰

孫子曰：凡用兵之法，馳車千駟，[革車千]乘，帶甲[十萬，千]里而饋饉(糧），則外內……車甲之奉，日千金，然勾（後）□……用戰勝久，則頓（鈍）……起，雖知（智）者，不能善亓（其）後矣。故……未有也。故不盡於知用兵……饉(糧）於敵，[故軍]食可足也。國之貧於師者，遠者遠輸則百姓貧；近帀(師）者貴賣，[貴賣]則財竭，則□及兵役。屈力中原，內虛於家。

百[姓之]費，十去亓（其）六……石。故殺適（敵）者……車戰……卒共而養之，是胃（謂）勝敵而益強。故……

[謀攻]

……破伍……亓(其)下攻城。[攻]城之法，脩(修)櫓……轒轀三月而止；□距闉(日)，有(又)三月然……城不[拔者，此攻之]戋(災)也。故善用兵者，詘（屈）人之兵而非戰也，拔人之城而非攻也，破人之國而非……天下，故[兵不頓]而利可□……戰之……所以患軍……知三軍……瀣(既)疑，諸侯之……知可而戰與不可而戰，勝。知眾……以虞侍（待）不……故兵知皮（彼）知己，百戰不……

刑（形）

（甲）

孫子曰：昔善[者，先為不可]勝，以侍（待）適（敵）之可勝。不可勝在己，可勝在適(敵)。故善者……能使適(敵)可勝。故曰：勝可智(知)[而]不可為也。不可勝，守；可勝，攻也。守則有餘，攻則不足。昔善守者，臧（藏）九地之下，動(動)九……眾人之所知，非善……曰善，非善者也。舉[秋毫不為多]力，視日月不為明目，聞靁(雷)霆不為蔥（聰）耳。所胃（謂）善者，勝易勝者也。故善者之戰，無奇[勝]，無智(智)名，無勇功，故亓(其)勝不貣(忒)。不[貣(忒)]者……兵先勝而後戰，敗[兵先戰]而後求勝。故善者脩(修)道而保法，故能為勝敗正。法：一曰度，二曰量，三曰數，四曰稱，五曰勝。地……生稱，[稱]生勝。勝兵如以洫(鎰)稱朱(銖)，敗兵如以朱（銖）稱洫（鎰）。稱勝者戰民也，如決積水於千邪（仞）……

（乙）

勝而待適（敵）之可勝。不可勝在己，可勝在適（敵）。故善者能為不可勝，[不能使敵之]可勝，故……也。守則有餘，攻則不足。昔善守者，臧（藏）九地之下，動(動）九天之上，故能自葆(保)全[勝]。見勝[不]過眾人之智(智)，非善者也。戰勝而天下曰善……易勝者也。故善[者之戰，無]奇勝，無智(智)名，無[勇]功，故亓（其）勝不貸（忒）。不貸（忒）者，亓（其）所錯（措）勝敗者也。善……勝兵……敗正（政）。法：一曰度，二曰量，三曰數，四……生勝。勝兵如以洫(鎰)稱朱（銖），敗兵如以朱（銖）稱洫（溢）。稱[勝]者戰民也，如決積[水於千]邪(仞）之嵘，刑（形）也。

埶（勢）

治眾如治寡，分數是。鬪眾……可使畢受適(敵)而无(無)敗，奇正是。[兵之所加]，如以段(碬)……窮如天地，无(無)謁(竭)如河海。冬(終)而復始，日月是……變不……之變，不可勝窮也。奇正環（還）相生，如環之毋（無）端，孰能窮之？水之疾，至……可敗。亂生於治，脅(怯)生於恿(勇)，弱生於強。治亂，數也；恿（勇）脅（怯），埶（勢）也；強[弱，形]也。善動(動）適（敵）者，刑（形）之，適（敵）必從之；[予之，敵必]取之。以此動(動）之，以卒侍（待）之。故善戰者，求之於埶（勢），弗責於……木石。木石之生（性），安則靜，危則動(動），方則……

實虛

先處戰地而侍(待)戰者失(佚)，後處戰地而趨戰者勞。故善戰者，致人而不[致於]人。能使適（敵)[自]至者，利之也。能使適（敵）……能勞之，飽能飢之者，出於亓（其）所必[趨也]。□行千里而不畏，行无（無）人之地也。攻而必[取，攻其]所不守也。守而必固，守亓（其）所必[攻也。故善攻]者，適(敵)不知所守。善守者適(敵)不知所 攻……故能為適（敵）司命。進不可迎者，衝[其虛也。退不]可止者，遠……適(敵)不得不[與我戰]者，攻亓(其)所……之，適(敵)不得與我戰者，膠（謬）亓（其）所之也。故善將者，刑（形）人而无(無)刑(形)，[則我]槫(專)而適(敵)分。我槫(專)而為壹（一），適（敵）分而為十，是以十擊壹（一）也。我寡而適（敵）眾，能以寡擊眾……地不可知，則適（敵）之所備者多。所備者多，則所戰者寡矣。備前[者後寡，備左]者右寡，无(無)不備者无(無)不寡。寡者備[人也]。眾者，使人備己者也。知戰之日，知戰之地，千里而戰。不[知戰之]日，不知戰之地，前不能救後，後不能救前，左不能救[右，右]不能救左，皇(況)遠者數十里，近者數里乎？……益 於勝戈(哉)？故曰：勝可擅也。適(敵)唯(雖)眾，可毋斲(鬬)也。故績(刺)之而知動(動)靜……死生之地，計之[而知]得失之□，角之[而知]餘不足之處。刑(形)兵之極，至於无(無)刑(形)，

[無形]則深間弗能規（窺）也，知（智）者弗能謀也。因刑（形）而錯勝於……制刑（形）。所以勝者不……兵刑（形）象水，水行辟（避）高而走下，兵勝辟（避）實擊虛。故水因地而制行，兵因敵而制勝。兵无（無）成埶（勢），无（無）恒刑（形），能與敵化之胃（謂）神。五行无（無）恒勝，四時常立（位），日有短長，月有死生。神要

[軍爭]

……以迂為直，以患……而誘之[以利]後人發，先人至者，知汙（迂）直之計者也。軍爭為利，軍爭[為]危，舉軍而爭利則□不及，委軍而[爭]利則輜重捐。是故絭（卷）甲而趨利，[日夜不]處，倍……者後，則十一以至；五十里而爭利，則厥（蹶）上將，法以半至；……軍毋（無）輜重[□□]糧食則亡，无（無）委責（積）則亡。是故不知諸侯之謀者，不……刑（形）者不能行軍；不[用]鄉（嚮）道（導）……勭（動），以[分]合變……難知……分利，縣（懸）權而勭（動）。先知汙（迂）直之道者[勝]，軍爭之法也。是故軍……鼓金；視不相見，故為旌旗。是故晝戰多旌旗，夜戰多鼓金。[鼓金]旌旗者，所以壹（一）民之耳目也。民濬（既）已槫（專）[一，則]勇者不……將軍可奪心。□……用兵者，辟（避）亓（其）兌（銳）氣……氣者……遠，以失（佚）[待]勞，以飽侍（待）飢，此治力者也。毋要（邀）𤻮𤻮之旗，毋擊堂堂之陳（陣），此治變者……倍（背）丘勿迎，詳（佯）北勿從，圍師遺闕，歸師勿謁（遏），此用眾之法也。四百六十五。

[九變]

……瞿（衢）地……地則戰，……攻，地有所不爭，君……於九……能得地……利，故務可信；雜於害，故憂患可……不攻，恃[吾有所]不可攻。故將有五[危：必死可]殺，必生……潔廉可辱。愛民可……危，不可不察也。

[行軍]

……處高，戰降毋登，[此]處山之……此處水上之軍……交軍沂（泝）澤之中，依……死後生，此處陸[之軍也]。凡四軍之利，黃帝之……（無）百疾，陵丘隄防處亓（其）陽，而右倍（背）之。此兵之利，地之助也。上雨水，水流至，止涉侍（待）亓（其）定[□□□]天井、天窖、天離(羅)、天翹、天郄(隙)，必亟去之，勿[近也，吾]遠之，敵近之。吾……□葦（葦）、小林、翳瘄（薈）、可伏匿者，謹復索之，姦之所處也。敵近而靜者，恃亓（其）險也。敵遠而[挑戰，欲人之]進者，亓（其）所居者易……軍者也；辭庳（卑）而備益者，進也。訌(辭）強而[進]毆（驅）者，退也。輕車先出居廁（側）者[陳也。無約而]請和者，謀也。奔走陳兵者，期也。半進者，誘也。杖而立者，飢也。汲役先歙(飲）……而不進者，勞拳（倦)也。鳥襍(集)者，虛也。夜嘑(呼)者，恐也。軍獿(擾)者，將不重也。…… 函(甀）者不反（返）亓（其）舍者，窮寇也。□□閒閒，□言人者，失亓（其）眾者也。數賞者，窘也。數罰者……相去也，必謹察此。兵非多益，毋……而罰之，則不服，不服則難用也。卒已槫（專）親而罰不行，則不用。故合之以交（文），濟（齊）之以……行以教亓（其）民者，民服；素不……

[地形]

缺簡。

[九地]

……地，有輕地，有爭地，有交地，有瞿（衢）地，有重地，有泛地，有圍地，有死地。諸侯戰[其]地，為散。……而得天[下]之眾者，為矍（衢）。入人之地深，倍（背）城邑多者，為重。行山林、沮澤，凡難行之道者，為泛。……彼寡可[以擊]吾眾者，為圍。疾則存，不疾則亡者，為死。是故散[地則毋戰]輕地則毋止，爭……絕，瞿（衢）……則行，圍地則謀，死地則戰。所胃（謂）古善戰者，能使適（敵）人前後不相及也，□。……適（敵）眾以正（整）將來，侍（待）之[若]何？曰：奪[其所愛則]聽[矣。兵]之請（情）主數（速）也，乘人之不給也……食；謹養而勿勞，并……謀，為不可賊（測），投之毋（無）所往，死且不北，死焉……無所往則……所往則鬬（鬭）。是故不調而戒，不……非惡貨也；無餘死，非惡壽也。令發[之日]士坐者涕□□（霑襟），臥[者涕□□]。投之無所往者，諸歲之勇也。故善用軍者，辟（譬）如衛（率）然。衛（率）然者，恒山之……擊亓（其）尾則首至，擊亓（其）中身則首尾俱至。敢問：則可使若衛（率）然虖（乎）？曰：可。越人與吳人相惡也，當亓（其）同周（舟）而濟也，相救若左……齊勇若一……得已也。將軍之事……之耳目，使無之；易亓

（其）事，[革其謀]，使民無識；易亓（其）居，于（迂）亓（其）途，使民不得……入諸侯之地，發亓（其）幾（機），若敺（驅）群……變，詘（屈）信（伸）之利，人請（情）之理，不可不察也。凡為[客，深則]槫（專），淺則散。□國越竟（境）而師者，絕地也；四僔（徹）者，矍（衢）地也；……者，輕地也；倍（背）固前隘[者，圍]地也。倍（背）固前適（敵）者，死地也；毋（無）所往者，窮地也。[□□□□]散地，吾將壹（一）亓（其）志；輕地，吾將使之僂（遱）；爭地，吾將使不留；交地也，吾將固亓（其）結（結）；矍（衢）地也，吾將謹亓（其）恃；[重]地也，吾將趣（趨）亓（其）後；泛地也，吾將進亓（其）[途]；圍地也，吾將塞[其闕]；死地……諸侯之請（情）：遝（逮）則禦，不得已則，過則從……利。四五者，一不智（知），非王霸之兵也。彼王霸之兵，伐大國則亓（其）眾不……則亓（其）交不得合。是故不……可拔也，城可隋（隳）也。无（無）法之賞，無正（政）之令，犯三……以害，勿告以利。芋（污）之亡地然而后（後）存，陷……於害，然后能為敗為……□□將，此胃（謂）巧事。是故正（政）與（舉）□……亓（其）使，厲（勵）于郎（廊）上，以誅亓（其）事。適（敵）人開闔，必亟入之。先亓（其）所愛，徵（微）與……[以]決戰事。是故始如處……

火攻

火攻。孫子曰：凡攻火有五：一曰火人，二曰火潰（積），三曰火輜，四曰火庫，五曰火[隊。行]火有因，因必素具。發火有時，起火有日。時者，天……四者，風之起日也。

火發於……火發亓（其）兵靜而勿攻，極亓（其）火央，可從而從[之，不可從而]止之。火可發於外，毋寺(待)於內，以時發之。火發上風，毋攻[下風。晝風]久，夜風止。[必知五火]之變，以數守之。故以火佐攻者明，以水佐攻者強。水可……得，不隋（隨）亓（其）功者凶，命之曰費留。故曰：明主慮之，良□將隨之。非利[不動，非得]不用，非危不戰。主不可以怒興軍，將不可以溫（慍）戰。合乎利而用，不合而止。怒可復喜也，溫（慍）可復……

[用間]

孫子曰：凡……里，百生（姓）之費，公[家之奉]，費日千……知適（敵）之請（情）者，不仁之至也，非民之將也，非主[之佐也，非勝]之注（主）也。故……不可象[於事]，不可驗於度，必取於人知者。故用間有五：有□間，有內間，有反間，有死間，有生間。[五間俱起，莫]知亓（其)[道，是謂]神紀，人君之葆（寶）也。生間者，反報……鄉人而用者也。內間者，因[其官人而]用。反……三軍之親，莫親於間，賞莫厚於間，事莫密於間。非聖[不能用間]，非仁不能使……之葆。密戋（哉）密戋(哉），毋（無）所不用間[也。間]事未發，聞，間與……攻，人[之所欲]殺，必先知亓（其）守[將左右]謁者……用也。因是而知之，故鄉間、內間可得而使也。……五間之事，必知之，……可不厚也。殷[之興也，伊摯]在夏。周之興也，呂牙在殷。[□之興也]，□衛師比在陘。燕之興也，蘇秦在齊。唯明主賢將能……